KB077232

히브리어 쓰기성경

-전도서-

언약성경연구소

케타브 프로젝트: 히브리어 쓰기성경 – 전도서

━━━━━━━━━━━━━━━━━━━━━━━━━

발　행 | 2024년 7월 26일
저　자 | 이학재
발행인 | 허동보
편집 · 디자인 | 허동보

등록번호 | 제2024-000094호
발행처 | 수현북스
주　소 | 경기도 용인시 기흥구 공세로 150-29, B01-G444호(공세동)

ISBN | 979-11-988320-0-9
가 격 | 14,800원

כתב Project

히브리어쓰기성경

קהלת

- 전도서 -

영·한·히브리어
대역대조 쓰기성경

언약성경연구소

* 본 책에는맛싸성경(한글), 개역한글(한글), WLC(히브리어), NET(영어) 성경 역본이 사용되었으며,
  KoPub 바탕체, KoPub 돋움체, Frank Ruhl Libre, 세방체 폰트가 사용되었습니다.
  히브리어 알파벳표, 모음표, 알파벳송 악보는 『왕초보 히브리어 펜습자』(허동보 저) 저자의 동의를 받고 첨부하였습니다.
  맛싸성경3은 저자 이학재 교수가 원문성경에서 직접 번역한 번역물로 번역 저작물이 저작권협회에 접수된 개인번역입니다.

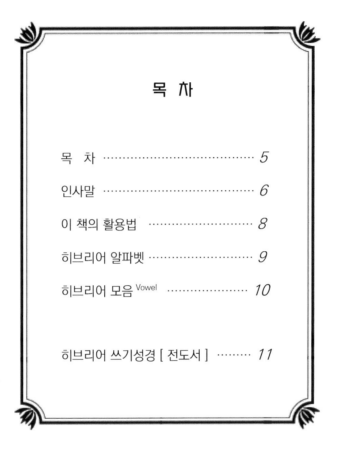

목 차

전도서는 다윗의 아들이자 이스라엘의 왕이었던 솔로몬의 경험과 지혜를 바탕으로 쓰여진 철학적인 입니다. 전도서는 "모든 것이 헛된 것"이라는 주제로 시작하여, 인생의 일상적인 경험과 지혜를 통해 삶의 진실을 찾아갑니다. 결국 마지막에는 하나님을 경외하고 그의 계명을 지키는 것이 삶의 참된 의미를 찾는 방법이라고 결론짓습니다. 전도서는 삶의 임시성과 무의미성에 대한 현실적이고 철학적인 고찰을 제공하면서도, 신앙과 하나님의 지혜를 강조합니다.

이학재 Lee Hakjae · Covenant University 부총장
· 월간 맛싸 대표 · 맛싸성경 번역자 · 언약성경협회장

성경은 말씀으로 읽고 소리내서 낭독하는 훈련이 필요하다. 또한 성경은 precept, 즉 글로 적은 글이다. 십계명도 하나님께서 적어 주신 것이고 구약성경, 신약성경 모두다 사람들이 손으로 필사하여 전해온 것이다. 특히 시편에서는 하나님의 말씀을 '호크'규례, 교훈라고 부르는데 이것은 '하카크' 즉 '새기다, 기록하다'는 의미이다. 성경은 1455년에 라틴어를 출간하기까지 구약은 서기관들에 의해서 두루마리에 필사를 통해서 기록되었고 신약 역시 대문자, 소문자 등을 통해서 손으로 직접 적었다.

이같은 성경은 소리내 읽는 '낭독'과 글로 적는 '호크'precept로 기록된 말씀이다. 물론 타자를 치는 필사를 비롯하여 다양한 방법이 있지만, 특히 AI 시대에는 주관성과 개인의 특성을 가진 영성이 품어 나오는 적기 성경 즉 '필사 성경'이 필요하다. 시중에 한글 필사성경, 영어 등은 이미 출판되어 있지만 원문 필사는 아직 나오지 않았다. 원문 필사를 위해서는 원문만 넣을 것이 아니라 한글의 공적성경개역, 개역개정과 또한 사역이지만 원문에서 번역한 것이 필요한데 이런 면에서 '맛싸 성경'은 중요한 역할을 할 것이다. 아울러 영역본도 함께 제공되어 원문과 함께 번역본들을 보게 되고 자신의 필사 성경도 각권으로 남게 될 것이다.

성경을 적는다는 것은 참으로 중요하다. 기도하면서 성경에서도 달려가면서도 성경을 읽게 하라는 말씀은 성경에도 기록되어 있다하박국 2장. 많은 사람들이 성경을 덮어두거나, '말아 놓았다'. 이제는 적어서 펼쳐 놓아야 한다. 이런 면에서 족자, 액자들 성경 원문 쓰기를 통해서 원문을 보고 묵상하고 더욱 말씀을 가시적으로 보며 그 말씀의 생명력을 가지는 삶을 살아야 할 것이다. 이 모든 것이 '적는 것'כתב 케타브에서 시작된다. 이 시리즈는 구약 전권 신약 전권의 '쓰기', '적기'를 출간하는 것으로 생각하고 있다. 매일 일정한 양을 쓰면서 원문을 자유롭게 이해하고 원문의 바른 의미, 성경의 의미를 바르게 이해해서 말씀에 근거를 둔 그러한 건강한 말씀 중심의 삶을 살아가시기를 소원한다.

저자 이 학 재

허동보 _Huh Dongbo_ · 수현교회 담임목사 · 수현북스 대표
· 왕초보 히브리어/헬라어 펜습자 저자

교회 역사는 대부분 이단으로부터 교회를 보호하는 역사였습니다. 사도들과 교부들의 가르침, 공의회를 통한 결정들은 우리 신앙의 선배들이 이단으로부터 교회를 지키고자 목숨까지 걸었던 몸부림이라고 해도 과언이 아닙니다. 그 신념, 그 몸부림의 근거는 바로 성경이었습니다. 하나님의 말씀이자 우리 신앙생활의 원천인 성경은 수천년이 지난 이 시대를 살아가는 우리가 쉽게 읽을 수 있도록 전문가들을 통해 비교적 잘 번역되어 있습니다. 그럼에도 불구하고 말씀을 사랑하고 매일 묵상하는 우리 그리스도인들이 히브리어와 헬라어를 배워야 하는 까닭은 무엇일까요?

첫째로 지금도 교회를 노리고 핍박하는 이들로부터 주님의 몸 된 교회를 지키기 위해서입니다. 아무리 번역이 잘 되었다고 하더라도 해당 언어가 가진 고유의 뉘앙스와 의미를 동일하게 전달하는 것은 불가능합니다. 따라서 우리는 원전을 살펴봄으로써 말씀에 대한 왜곡과 오해를 헤쳐 나가야 합니다. 둘째로 언어의 한계성 때문입니다. 성경이 쓰여지던 시기의 사회적 배경과 문학적 장치들을 더 잘 전달받기 위해서 우리는 히브리어와 헬라어를 배워야 합니다. 우리는 해당 언어를 통해 한글성경에서 느끼기 힘든 시적 운율과 다양한 의미들을 더욱 세밀하게 들여다볼 수 있으며, 이 과정에서 더 큰 은혜를 느낄 수 있습니다. 셋째로 말씀을 사모하기 때문입니다. 다른 언어를 배운다는 것은 쉽지 않습니다. 그 어려움보다 말씀에 대한 사모가 더욱 간절하기에 우리는 기꺼이 시간과 노력을 할애할 수 있습니다. 이는 마치 해리포터를 사랑하는 사람이 영어를 배우고, 톨스토이를 사랑하는 사람이 러시아어를 배우는 것처럼 원전에 더 가까워지고자 하는 욕망은 말씀을 사모하는 이들이라면 거스를 수 없을 것입니다.

이런 관점에서 언약성경협회와 언약성경연구소의 사역은 하나님의 말씀을 열정적으로 소망하는 우리 그리스도인들에게 있어서 꼭 필요한, 그리고 꼭 이루어 나가야 할 사명이 아닌가 합니다. 이에 말씀을 사모하는 많은 분들이 케타브 프로젝트에 동참하길 소망합니다. 아울러 이학재 교수님을 통해 영광스럽게도 편집과 디자인으로 이 프로젝트에 동참하게 된 것에 대해 주님께 감사드립니다.

편집자

히브리어쓰기성경 활용법

이 책의 구조와 활용법에 대해 알려드립니다.

1. 왼쪽 페이지는 히브리어 성경인 WLC역
   본과 더불어 맛싸성경과 함께 영문역본
   NET2를 대조하였습니다.

   - 맛싸성경은 저자 이학재 교수가 원문성경
     에서 직접 번역한 번역물로 번역 저작물이
     저작권협회에 접수된 개인 번역입니다.

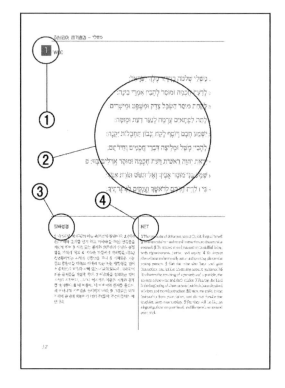

2. 왼쪽 페이지 좌상단에 위치한 숫자는 각
   장을 말합니다. 각 절은 본문에 포함되어
   있습니다.

   ① 몇 장인지 나타냅니다.
   ② WLC 본문입니다.
   ③ 맛싸성경 본문입니다.
   ④ NET2 본문입니다.

3. 여백을 넉넉히 두어 필사와 함께 성경공부를 위한 노트로 사용할 수 있습니다.

* 히브리어쓰기성경을 통해 하나님의 은혜가 더욱 풍성하고 가득한 신앙의 여정이 되시길 소망합니다.

히브리어 알파벳

형 태	이 름	꼬리형	형 태	이 름	꼬리형
א	알렙		מ	멤	ם
ב	베트		נ	눈	ן
ג	기믈		ס	싸멕	
ד	달렛		ע	아인	
ה	헤		פ	페	ף
ו	바브		צ	차디	ץ
ז	자인		ק	코프	
ח	헤트		ר	레쉬	
ט	테트		שׁ	신	
י	요드		שׁ	쉰	
כ	카프	ך	ת	타브	
ל	라메드				

히브리어 알파벳송

히브리어 모음 vowel

	A 아	E 에	I 이	O 오	U 우
장모음	אָ	אֵ		אֹ	
	카메츠	체레		홀렘	
		אֵי	אִי	אוֹ	אוּ
		체레요드	히렉요드	홀렘바브	슈렉
반모음	אֲ	אֱ		אֳ	
	하텝파타	하텝세골		하텝카메츠	
단모음	אַ	אֶ	אִ	אָ	אֻ
	파타	세골	히렉	카메츠하툽	케부츠
	אְ				
	쉐바				
ר가 자음으로 쓰일 때	רָ רַ	רֵ רֶ רְ	רִ	רֹ רוֹ	רֵ רֻ רוּ
	야	예	이	요	유

히브리어 모음 vowel 은 단순합니다. 아, 에, 이, 오, 우 발음밖에 없습니다. 하지만, 그 형태가 몇 가지 있는데, 장모음, 단모음, 반모음 등으로 나누어집니다. 장모음은 말 그대로 길게 소리를 내는 모음입니다. 단모음은 짧게 소리를 내는 모음입니다. 그러나 현대에는 장·단모음, 그리고 반모음을 크게 구분하여 사용하지는 않는다고 합니다. 다만, :쉐바 발음만 조금 주의가 필요합니다. :쉐바는 '에' 발음일 때도 있지만, 묵음이 되는 경우도 있기 때문입니다.

קהלת

- 전도서 -

1 WLC

1 דִּבְרֵי קֹהֶלֶת בֶּן־דָּוִד מֶלֶךְ בִּירוּשָׁלָֽם׃

2 הֲבֵל הֲבָלִים אָמַר קֹהֶלֶת הֲבֵל הֲבָלִים הַכֹּל הָֽבֶל׃

3 מַה־יִּתְרוֹן לָֽאָדָם בְּכָל־עֲמָלוֹ שֶֽׁיַּעֲמֹל תַּחַת הַשָּֽׁמֶשׁ׃

4 דּוֹר הֹלֵךְ וְדוֹר בָּא וְהָאָרֶץ לְעוֹלָם עֹמָֽדֶת׃

5 וְזָרַח הַשֶּׁמֶשׁ וּבָא הַשָּׁמֶשׁ וְאֶל־מְקוֹמוֹ שׁוֹאֵף זוֹרֵחַ הוּא שָֽׁם׃

6 הוֹלֵךְ אֶל־דָּרוֹם וְסוֹבֵב אֶל־צָפוֹן סוֹבֵב ׀ סֹבֵב הוֹלֵךְ הָרוּחַ וְעַל־סְבִיבֹתָיו שָׁב הָרֽוּחַ׃

7 כָּל־הַנְּחָלִים הֹלְכִים אֶל־הַיָּם וְהַיָּם אֵינֶנּוּ מָלֵא אֶל־מְקוֹם שֶׁהַנְּחָלִים הֹלְכִים שָׁם הֵם שָׁבִים לָלָֽכֶת׃

맛싸성경

1 예루살렘(에) 왕 다윗의 아들 전도자의 말씀들이다. 2 덧없는 것들의 덧없는 것이다. 전도자가 말하되 덧없는 것들의 덧없는 것이니 모든 것들이 덧없도다. 3 태양 아래서 수고하는 모든 그의 수고함에서 사람에게 성과는 무엇인가? 4 한 세대는 가고 또 다른 세대는 오나 땅은 영원히 서 있다. 5 태양은 뜨고 또 태양은 진다. 그것은 뜨는 그곳 그 장소로 내달린다(헐떡거린다). 6 참으로 그 바람은 남쪽으로 흘러가다가 북쪽으로 맴돌며 흘러 돌고 돌아 그 바람은 그것이 순환하는 곳으로 돌이킨다. 7 모든 강(물)들은 바다로 흘러가나 바다는 그곳에서 채워지지 않는다. 강(물)들이 흘러가는 그곳 그 장소에서 그것들은 다시 돌아 흘러간다.

NET

1 The words of the Teacher, the son of David, king in Jerusalem: 2 "Futile! Futile!" laments the Teacher. "Absolutely futile! Everything is futile!" 3 What benefit do people get from all the effort which they expend on earth? 4 A generation comes and a generation goes, but the earth remains the same through the ages. 5 The sun rises and the sun sets; it hurries away to a place from which it rises again. 6 The wind goes to the south and circles around to the north; round and round the wind goes and on its rounds it returns. 7 All the streams flow into the sea, but the sea is not full, and to the place where the streams flow, there they will flow again.

1 WLC

8 כָּל־הַדְּבָרִים יְגֵעִים לֹא־יוּכַל אִישׁ לְדַבֵּר לֹא־תִשְׂבַּע עַיִן לִרְאוֹת וְלֹא־תִמָּלֵא אֹזֶן מִשְּׁמֹעַ׃

9 מַה־שֶּׁהָיָה הוּא שֶׁיִּהְיֶה וּמַה־שֶּׁנַּעֲשָׂה הוּא שֶׁיֵּעָשֶׂה וְאֵין כָּל־חָדָשׁ תַּחַת הַשָּׁמֶשׁ׃

10 יֵשׁ דָּבָר שֶׁיֹּאמַר רְאֵה־זֶה חָדָשׁ הוּא כְּבָר הָיָה לְעֹלָמִים אֲשֶׁר הָיָה מִלְּפָנֵנוּ׃

11 אֵין זִכְרוֹן לָרִאשֹׁנִים וְגַם לָאַחֲרֹנִים שֶׁיִּהְיוּ לֹא־יִהְיֶה לָהֶם זִכָּרוֹן עִם שֶׁיִּהְיוּ לָאַחֲרֹנָה׃ פ

맛싸성경

8 모든 것(만물)들은 힘쓰지만 사람은 그것을 말할 수 없다. 눈은 보는 것으로 만족하지 않고 귀는 듣는 것으로 채워지지 않는다. 9 있는 것은 무엇인가? 그것은 (다시) 있을 것이며 또 일어났던 일은 무엇인가? 그것은 (다시) 일어날 것이니 태양 아래서 어떤 새로운 것도 없다. 10 "보아라, 이것은 새롭다."고 말하는 것이 있는가? 그것은 우리 앞에 있었던 시대에 이미 있었다. 11 이전 것들에 (대한) 기억은 없고 또한 일어날 이후의 것도 단지 이후에 그들이 있을 자와 함께 그것들에 대한 기억도 없을 것이다.

NET

8 All this monotony is tiresome; no one can bear to describe it. The eye is never satisfied with seeing, nor is the ear ever content with hearing. 9 What exists now is what will be, and what has been done is what will be done; there is nothing truly new on earth. 10 Is there anything about which someone can say, "Look at this! It is new"? It was already done long ago, before our time. 11 No one remembers the former events, nor will anyone remember the events that are yet to happen; they will not be remembered by the future generations.

1 WLC

١٢ אֲנִי קֹהֶלֶת הָיִיתִי מֶלֶךְ עַל־יִשְׂרָאֵל בִּירוּשָׁלָ͏ִם׃

١٣ וְנָתַתִּי אֶת־לִבִּי לִדְרוֹשׁ וְלָתוּר בַּחָכְמָה עַל כָּל־אֲשֶׁר נַעֲשָׂה תַּחַת הַשָּׁמָיִם הוּא ׀ עִנְיַן רָע נָתַן אֱלֹהִים לִבְנֵי הָאָדָם לַעֲנוֹת בּוֹ׃

١٤ רָאִיתִי אֶת־כָּל־הַמַּעֲשִׂים שֶׁנַּעֲשׂוּ תַּחַת הַשָּׁמֶשׁ וְהִנֵּה הַכֹּל הֶבֶל וּרְעוּת רוּחַ׃

١٥ מְעֻוָּת לֹא־יוּכַל לִתְקֹן וְחֶסְרוֹן לֹא־יוּכַל לְהִמָּנוֹת׃

맛싸성경

12 나 전도자는 예루살렘에서 이스라엘을 다스리는 왕이었다. 13 나는 하늘 아래서 행해졌던 모든 것에 관해서 지혜로 찾고 연구하려고 내 마음을 두었다. 그 것은 하나님이 사람의 아들들에게 주셔서 그것에 종 사하도록 하신 고통스러운 업무이다. 14 나는 태양 아 래서 행해졌던 모든 것들을 보았고 또 보니 모든 것은 덧없으며 바람을 열망(추구)하는 것이다. 15 구부러 진 것은 곧게 펼 수 없고 결핍된(없는) 것은 셀(헤아 릴) 수 없다.

NET

12 I, the Teacher, have been king over Israel in Jerusalem. 13 I decided to carefully and thoroughly examine all that has been accomplished on earth. I concluded: God has given people a burdensome task that keeps them occupied. 14 I reflected on everything that is accomplished by man on earth, and I concluded: Everything he has accomplished is futile—like chasing the wind! 15 What is bent cannot be straightened, and what is missing cannot be supplied.

16 דִּבַּרְתִּי אֲנִי עִם־לִבִּי לֵאמֹר אֲנִי הִנֵּה הִגְדַּלְתִּי וְהוֹסַפְתִּי חָכְמָה עַל

כָּל־אֲשֶׁר־הָיָה לְפָנַי עַל־יְרוּשָׁלִָם וְלִבִּי רָאָה הַרְבֵּה חָכְמָה וָדָעַת:

17 וָאֶתְּנָה לִבִּי לָדַעַת חָכְמָה וְדַעַת הוֹלֵלוֹת וְשִׂכְלוּת יָדַעְתִּי שֶׁגַּם־זֶה הוּא

רַעְיוֹן רוּחַ:

18 כִּי בְּרֹב חָכְמָה רָב־כָּעַס וְיוֹסִיף דַּעַת יוֹסִיף מַכְאוֹב:

맛싸성경

16 내 마음 (속)으로 내가 말하였다. 말하기를 "보아라, 나는 내 위대하게 되었고 예루살렘에서 전에 있었던 모든 자보다 지혜를 더하였으며 또 내 마음으로 많은 지혜와 지식을 경험하였다(보았다)." 17 나는 지혜를 알려고 또 미친 것과 어리석은 것을 알려고 내 마음을 두었다(쏟았다). 나는 이것도 또한 단지 그(것은) 바람을 추구하는 것임을 알게 되었다. 18 이는 지혜가 많은 곳에 예민함(괴로움)도 많고 지식을 더하는 자는 고통도 더하기 때문이다.

NET

16 I thought to myself, "I have become much wiser than any of my predecessors who ruled over Jerusalem; I have acquired much wisdom and knowledge." 17 So I decided to discern the benefit of wisdom and knowledge over foolish behavior and ideas; however, I concluded that even this endeavor is like trying to chase the wind. 18 For with great wisdom comes great frustration; whoever increases his knowledge merely increases his heartache.

2 WLC

1 אָמַרְתִּי אֲנִי בְּלִבִּי לְכָה־נָּא אֲנַסְּכָה בְשִׂמְחָה וּרְאֵה בְטוֹב וְהִנֵּה גַם־הוּא

הָבֶל׃

2 לִשְׂחוֹק אָמַרְתִּי מְהוֹלָל וּלְשִׂמְחָה מַה־זֹּה עֹשָׂה׃

3 תַּרְתִּי בְלִבִּי לִמְשׁוֹךְ בַּיַּיִן אֶת־בְּשָׂרִי וְלִבִּי נֹהֵג בַּחָכְמָה וְלֶאֱחֹז בְּסִכְלוּת

עַד אֲשֶׁר־אֶרְאֶה אֵי־זֶה טוֹב לִבְנֵי הָאָדָם אֲשֶׁר יַעֲשׂוּ תַּחַת הַשָּׁמַיִם מִסְפַּר

יְמֵי חַיֵּיהֶם׃

맛싸성경

1 나는 내 마음속으로 말하였다. "자. 이제 내가 네게 기쁜 것을 시도하여 행복(좋은 것)을 경험하자." 그러나 보라. 또한 이것도 덧없다. 2 나는 웃음에 대하여 "(그것은) 미친 것이다." 또 기쁨에 관해서는 "그것이 무엇을 하는가?"라고 말하였다. 3 나는 내 마음으로 연구하여 내 육체를 위하여 포도주를 시도해 보기도 하고 내 마음을 지혜(를 통하여) 이끌어보기도 하며 또 그들(인생들)이 그들의 생명의 날들의 수(동안)에 그 하늘아래서 사람들의 아들들을 위해 그들이 해야 할 행복한 것(좋은 것)이 무엇인가? 하는 것을 내가 볼 (경험할) 때까지 어리석은 것도 붙잡으려고도 하였다.

NET

1 I thought to myself, "Come now, I will try self-indulgent pleasure to see if it is worthwhile." But I found that it also is futile. 2 I said of partying, "It is folly," and of self-indulgent pleasure, "It accomplishes nothing!" 3 I thought deeply about the effects of indulging myself with wine (all the while my mind was guiding me with wisdom) and the effects of behaving foolishly, so that I might discover what is profitable for people to do on earth during the few days of their lives.

2 WLC

4 הִגְדַּלְתִּי מַעֲשָׂי בָּנִיתִי לִי בָּתִּים נָטַעְתִּי לִי כְּרָמִים׃

5 עָשִׂיתִי לִי גַּנּוֹת וּפַרְדֵּסִים וְנָטַעְתִּי בָהֶם עֵץ כָּל־פֶּרִי׃

6 עָשִׂיתִי לִי בְּרֵכוֹת מָיִם לְהַשְׁקוֹת מֵהֶם יַעַר צוֹמֵחַ עֵצִים׃

7 קָנִיתִי עֲבָדִים וּשְׁפָחוֹת וּבְנֵי־בַיִת הָיָה לִי גַּם מִקְנֶה בָקָר וָצֹאן הַרְבֵּה הָיָה לִי מִכֹּל שֶׁהָיוּ לְפָנַי בִּירוּשָׁלָם׃

8 כָּנַסְתִּי לִי גַּם־כֶּסֶף וְזָהָב וּסְגֻלַּת מְלָכִים וְהַמְּדִינוֹת עָשִׂיתִי לִי שָׁרִים וְשָׁרוֹת וְתַעֲנוּגֹת בְּנֵי הָאָדָם שִׁדָּה וְשִׁדּוֹת׃

맛싸성경

4 나는 내 일을 크게 하여 나는 나를 위해 집들을 지었고 나를 위해 포도원들을 심었다. 5 나는 나를 위해 정원들과 공원들을 만들었고 또 그것들 안에 모든 종류의 과실나무를 심었다. 6 나는 나를 위해 나무들이 자라는 숲에 물을 주려고 연못들을 만들었다. 7 나는 남종들과 여종들을 샀고 나에게는 집에 아들들(종들)도 있었다. 또한 예루살렘에서 내 앞에 있었던 어떤 사람들보다 나에게는 더 많은 소 떼와 양 떼들의 가축이 있었다. 8 나는 또한 나를 위해서 은과 금과 왕들과 각 지방들의 보물을 수집했고 나는 나를 위해서 노래하는 남자들과 노래하는 여자들과 사람의 아들들의 흥겨움을 주는 여인과 여인(첩)들을 두었다.

NET

4 I increased my possessions: I built houses for myself; I planted vineyards for myself. 5 I designed royal gardens and parks for myself, and I planted all kinds of fruit trees in them. 6 I constructed pools of water for myself, to irrigate my grove of flourishing trees. 7 I purchased male and female slaves, and I owned slaves who were born in my house; I also possessed more livestock—both herds and flocks—than any of my predecessors in Jerusalem. 8 I also amassed silver and gold for myself, as well as valuable treasures taken from kingdoms and provinces. I acquired male singers and female singers for myself, and what gives a man sensual delight—a harem of beautiful concubines.

2 WLC

9 וְגָדַ֣לְתִּי וְהוֹסַ֗פְתִּי מִכֹּ֛ל שֶׁהָיָ֥ה לְפָנַ֖י בִּירוּשָׁלָ֑͏ִם אַ֥ף חָכְמָתִ֖י עָ֥מְדָה לִּֽי׃

10 וְכֹל֙ אֲשֶׁ֣ר שָֽׁאֲל֣וּ עֵינַ֔י לֹ֥א אָצַ֖לְתִּי מֵהֶ֑ם לֹֽא־מָנַ֨עְתִּי אֶת־לִבִּ֜י מִכָּל־שִׂמְחָ֗ה כִּֽי־לִבִּ֤י שָׂמֵ֨חַ֙ מִכָּל־עֲמָלִ֔י וְזֶֽה־הָיָ֥ה חֶלְקִ֖י מִכָּל־עֲמָלִֽי׃

11 וּפָנִ֣יתִֽי אֲנִ֗י בְּכָל־מַעֲשַׂי֙ שֶֽׁעָשׂ֣וּ יָדַ֔י וּבֶֽעָמָ֖ל שֶׁעָמַ֣לְתִּי לַעֲשׂ֑וֹת וְהִנֵּ֨ה הַכֹּ֥ל הֶ֨בֶל֙ וּרְע֣וּת ר֔וּחַ וְאֵ֥ין יִתְר֖וֹן תַּ֥חַת הַשָּֽׁמֶשׁ׃

맛싸성경

9 그래서 나는 위대하게 되었고 예루살렘에서 내 앞에 있었던 어떤 사람보다 더 (재산을) 모았다. 또한 나의 지혜는 나에게 남아 있었다. 10 또 나는 내 눈(들)이 구하는 모든 것들을 거부하지 않았다. 내 마음이 기뻐하는 것을 나는 거절하지 않았으니 이는 내 마음은 내 모든 수고에서부터 기뻐하였기 때문이다. 이것은 내 모든 수고에서부터 (오는) 내 몫이었다. 11 그 다음에 나는 나의 손들이 한 모든 일과 내가 수고했던 모든 수고에 (관심을) 돌렸다. 그런데 보아라, 모든 것은 덧없고 바람을 열망(추구)하는 것이었고 태양 아래서 아무 성과는 없었다.

NET

9 So I was far wealthier than all my predecessors in Jerusalem, yet I maintained my objectivity. 10 I did not restrain myself from getting whatever I wanted; I did not deny myself anything that would bring me pleasure. So all my accomplishments gave me joy; this was my reward for all my effort. 11 Yet when I reflected on everything I had accomplished and on all the effort that I had expended to accomplish it, I concluded: "All these achievements and possessions are ultimately profitless—like chasing the wind! There is nothing gained from them on earth."

2 WLC

וּפָנִ֨יתִֽי אֲנִ֜י לִרְא֣וֹת חָכְמָ֗ה וְהוֹלֵל֣וֹת וְסִכְל֔וּת כִּ֣י ׀ מֶ֣ה הָאָדָ֗ם שֶׁיָּבוֹא֙ 12
אַחֲרֵ֣י הַמֶּ֔לֶךְ אֵ֥ת אֲשֶׁר־כְּבָ֖ר עָשֽׂוּהוּ׃

וְרָאִ֣יתִי אָ֔נִי שֶׁיֵּ֥שׁ יִתְר֛וֹן לַֽחָכְמָ֖ה מִן־הַסִּכְל֑וּת כִּֽיתְר֥וֹן הָא֖וֹר מִן־הַחֹֽשֶׁךְ׃ 13

הֶֽחָכָם֙ עֵינָ֣יו בְּרֹאשׁ֔וֹ וְהַכְּסִ֖יל בַּחֹ֣שֶׁךְ הוֹלֵ֑ךְ וְיָדַ֣עְתִּי גַם־אָ֔נִי שֶׁמִּקְרֶ֥ה 14
אֶחָ֖ד יִקְרֶ֥ה אֶת־כֻּלָּֽם׃

וְאָמַ֨רְתִּֽי אֲנִ֜י בְּלִבִּ֗י כְּמִקְרֵ֤ה הַכְּסִיל֙ גַּם־אֲנִ֣י יִקְרֵ֔נִי וְלָ֧מָּה חָכַ֛מְתִּי אֲנִ֖י אָ֑ז 15
יוֹתֵ֑ר וְדִבַּ֣רְתִּי בְלִבִּ֔י שֶׁגַּם־זֶ֖ה הָֽבֶל׃

맛싸성경

12 그 다음에 나는 지혜와 미친 것과 어리석은 것을 (경험해) 보려고 (관심을) 돌렸다. 그래서 왕의 뒤에 오는 그 사람은 무엇을 하는 사람인가? 그것은 전에 행한 것이다. 13 그때 나는 지혜(있는 것)이 어리석은 것보다 유익함(성과)을 보았는데 마치 빛이 어두움보다 더 유익함과 같았다. 14 지혜로운 자는 그의 눈이 그의 머리에 있는 사람이나 우둔한 자는 어둠에서 걷는 사람이다. 그러나 나는 또한 그들 모두에게 하나의(같은) 사건이 일어난다는 것도 알았다. 15 그때 나는 내 마음속으로 말했다. "우둔한 자의 사건이 또한 나에게도 일어나니 어찌하여 그때 나는 훨씬 지혜로웠는가?" 내 마음속으로 나는 말했다. "또한 이것도 덧없다."

NET

12 Next, I decided to consider wisdom, as well as foolish behavior and ideas. For what more can the king's successor do than what the king has already done? 13 I realized that wisdom is preferable to folly, just as light is preferable to darkness: 14 The wise man can see where he is going, but the fool walks in darkness. Yet I also realized that the same fate happens to them both. 15 So I thought to myself, "The fate of the fool will happen even to me! Then what did I gain by becoming so excessively wise?" So I lamented to myself, "The benefits of wisdom are ultimately meaningless!"

2 WLC

16 כִּי אֵין זִכְרוֹן לֶחָכָם עִם־הַכְּסִיל לְעוֹלָם בְּשֶׁכְּבָר הַיָּמִים הַבָּאִים הַכֹּל

נִשְׁכָּח וְאֵיךְ יָמוּת הֶחָכָם עִם־הַכְּסִיל:

17 וְשָׂנֵאתִי אֶת־הַחַיִּים כִּי רַע עָלַי הַמַּעֲשֶׂה שֶׁנַּעֲשָׂה תַּחַת הַשָּׁמֶשׁ כִּי־הַכֹּל

הֶבֶל וּרְעוּת רוּחַ:

맛싸성경

16 이는 우둔한 자와 함께 지혜로운 자를 위한 기억도 영원히 없기 때문이다. 앞으로 올 날들은 모두 이전의 날같이(으로) 잊혀지게 되니 지혜로운 자도 어떻게 우둔한 자와 같이 죽는가? 17 그래서 나는 사는 것을 미워했으니 이는 태양 아래서 하는 일들이 내게는 불행이기 때문이다. 이는 모든 것이 덧없고 바람을 열망하기(잡기)이다.

NET

16 For the wise man, like the fool, will not be remembered for very long, because in the days to come, both will already have been forgotten. Alas, the wise man dies—just like the fool! 17 So I loathed life because what happens on earth seems awful to me; for all the benefits of wisdom are futile—like chasing the wind.

2 WLC

וְשָׂנֵאתִי אֲנִי אֶת־כָּל־עֲמָלִי שֶׁאֲנִי עָמֵל תַּחַת הַשָּׁמֶשׁ שֶׁאַנִּיחֶנּוּ לָאָדָם 18

שֶׁיִּהְיֶה אַחֲרָי:

וּמִי יוֹדֵעַ הֶחָכָם יִהְיֶה אוֹ סָכָל וְיִשְׁלַט בְּכָל־עֲמָלִי שֶׁעָמַלְתִּי וְשֶׁחָכַמְתִּי 19

תַּחַת הַשָּׁמֶשׁ גַּם־זֶה הָבֶל:

וְסַבּוֹתִי אֲנִי לְיַאֵשׁ אֶת־לִבִּי עַל כָּל־הֶעָמָל שֶׁעָמַלְתִּי תַּחַת הַשָּׁמֶשׁ: 20

כִּי־יֵשׁ אָדָם שֶׁעֲמָלוֹ בְּחָכְמָה וּבְדַעַת וּבְכִשְׁרוֹן וּלְאָדָם שֶׁלֹּא עָמַל־בּוֹ 21

יִתְּנֶנּוּ חֶלְקוֹ גַּם־זֶה הֶבֶל וְרָעָה רַבָּה:

맛싸성경

18 나는 내가 태양 아래서 수고한 내 모든 수고를 미워했다. 이는 내 뒤에 올(있을) 사람에게 그것을 남겨 주어야 하기 때문이다. **19** 그가 지혜로운 자일지 우둔한 자일지 누가 알겠는가? 그러나 내가 내가 수고한 내 모든 수고와 태양 아래서 지혜롭게 행한 것을 그가 주관할 것이니 이것도 또한 덧없다. **20** 그러므로 나는 태양 아래서 내가 수고했었던 모든 수고에 관해서 절망하는 것으로 내 마음을 되돌렸다. **21** 이는 지혜와 지식과 기술로 수고한 사람이 수고를 하나 그가 수고하지 않은 그 사람에게 그의 몫으로 그에게 줄 것이니 또한 이것도 덧없는 것이며 큰 불행이다.

NET

18 So I loathed all the fruit of my effort, for which I worked so hard on earth, because I must leave it behind in the hands of my successor. **19** Who knows if he will be a wise man or a fool? Yet he will be master over all the fruit of my labor for which I worked so wisely on earth. This also is futile! **20** So I began to despair about all the fruit of my labor for which I worked so hard on earth. **21** For a man may do his work with wisdom, knowledge, and skill; however, he must hand over the fruit of his labor as an inheritance to someone else who did not work for it. This also is futile, and an awful injustice!

2 WLC

22 כִּי מֶה־הֹוֶה לָאָדָם בְּכָל־עֲמָלוֹ וּבְרַעְיוֹן לִבּוֹ שֶׁהוּא עָמֵל תַּחַת הַשָּׁמֶשׁ:

23 כִּי כָל־יָמָיו מַכְאֹבִים וָכַעַס עִנְיָנוֹ גַּם־בַּלַּיְלָה לֹא־שָׁכַב לִבּוֹ גַּם־זֶה הֶבֶל

הוּא:

24 אֵין־טוֹב בָּאָדָם שֶׁיֹּאכַל וְשָׁתָה וְהֶרְאָה אֶת־נַפְשׁוֹ טוֹב בַּעֲמָלוֹ גַּם־זֹה

רָאִיתִי אָנִי כִּי מִיַּד הָאֱלֹהִים הִיא:

25 כִּי מִי יֹאכַל וּמִי יָחוּשׁ חוּץ מִמֶּנִּי:

26 כִּי לְאָדָם שֶׁטּוֹב לְפָנָיו נָתַן חָכְמָה וְדַעַת וְשִׂמְחָה וְלַחוֹטֶא נָתַן עִנְיָן לֶאֱסוֹף

וְלִכְנוֹס לָתֵת לְטוֹב לִפְנֵי הָאֱלֹהִים גַּם־זֶה הֶבֶל וּרְעוּת רוּחַ:

맛싸성경

22 이는 사람이(그가) 그 태양아래서 수고한 자기의 모든 수고와 자기 마음의 추구함으로 그가 얻는 것(오는 것)이 무엇인가? 23 이는 그의 모든 날들은 고통들이고 그의 업무는 괴로움이기 때문이다. 밤에도 그의 마음은 눕지(쉬지) 못하니 이것도 또한 덧없다. 24 그가 먹고 마시는 것과 자기 수고에서 그의 영혼이 행복(좋은 것)을 경험하는 것보다 사람에게서 더 좋은 것이 없다. 내가 보니 이것도 역시 하나님의 손으로부터(오는) 것이다. 25 그분을(나를) 떠나서 누가 먹을 수 있으며 누가 즐거워할 수 있는가? 26 이는 행복하고자(선을 행하고자) 하는 사람에게 그분(하나님)이 지혜와 지식과 기쁨을 주시고 죄짓는 자에게는 모으고 수집하도록 업무를 주셨으니 그로(인간으로) 하나님 앞에서만 행복(좋은 것)을 주시려 하셨다. 또한 이것은 덧없으니 또 바람을 열망하는 것이다.

NET

22 What does a man acquire from all his labor and from the anxiety that accompanies his toil on earth? 23 For all day long his work produces pain and frustration, and even at night his mind cannot relax. This also is futile! 24 There is nothing better for people than to eat and drink, and to find enjoyment in their work. I also perceived that this ability to find enjoyment comes from God. 25 For no one can eat and drink or experience joy apart from him. 26 For to the one who pleases him, God gives wisdom, knowledge, and joy, but to the sinner, he gives the task of amassing wealth—only to give it to the one who pleases God. This task of the wicked is futile—like chasing the wind!

3 WLC

1 לַכֹּל זְמָן וְעֵת לְכָל־חֵפֶץ תַּחַת הַשָּׁמָיִם: ס

2 עֵת לָלֶדֶת וְעֵת לָמוּת עֵת לָטַעַת וְעֵת לַעֲקוֹר נָטוּעַ:

3 עֵת לַהֲרוֹג וְעֵת לִרְפּוֹא עֵת לִפְרוֹץ וְעֵת לִבְנוֹת:

4 עֵת לִבְכּוֹת וְעֵת לִשְׂחוֹק עֵת סְפוֹד וְעֵת רְקוֹד:

5 עֵת לְהַשְׁלִיךְ אֲבָנִים וְעֵת כְּנוֹס אֲבָנִים עֵת לַחֲבוֹק וְעֵת לִרְחֹק מֵחַבֵּק:

6 עֵת לְבַקֵּשׁ וְעֵת לְאַבֵּד עֵת לִשְׁמוֹר וְעֵת לְהַשְׁלִיךְ:

7 עֵת לִקְרוֹעַ וְעֵת לִתְפּוֹר עֵת לַחֲשׁוֹת וְעֵת לְדַבֵּר:

8 עֵת לֶאֱהֹב וְעֵת לִשְׂנֹא עֵת מִלְחָמָה וְעֵת שָׁלוֹם: ס

맛싸성경

1 모든 것에는 정해진 때가 있고 하늘 아래에는 모든 일을 위한 때가 있다. 2 날 때가 있고 죽을 때가 있고 심을 때가 있고 심어진 것을 뿌리 뽑을 때가 있으며 3 죽일 때가 있고 치료할 때가 있고 부술 때가 있고 지을 때가 있으며 4 울 때가 있고 웃을 때가 있고 애 곡할 때가 있고 춤출 때가 있으며 5 돌들을 내다 버릴 때가 있고 돌들을 모을 때가 있고 포옹할 때가 있고 포옹한 것을 멀리할 때가 있으며 6 구할 때가 있고 잃어버릴 때가 있고 보존할 때가 있고 내버릴 때가 있으며 7 찢을 때가 있고 꿰맬 때가 있고 침묵할 때가 있고 말할 때가 있으며 8 사랑할 때가 있고 미워할 때가 있고 전쟁의 때가 있고 평화의 때가 있다.

NET

1 For everything there is an appointed time, and an appropriate time for every activity on earth: 2 A time to be born, and a time to die; a time to plant, and a time to uproot what was planted; 3 a time to kill, and a time to heal; a time to break down, and a time to build up; 4 a time to weep, and a time to laugh; a time to mourn, and a time to dance. 5 A time to throw away stones, and a time to gather stones; a time to embrace, and a time to refrain from embracing; 6 a time to search, and a time to give something up as lost; a time to keep, and a time to throw away; 7 a time to rip, and a time to sew; a time to keep silent, and a time to speak. 8 A time to love, and a time to hate; a time for war, and a time for peace.

3 WLC

9 מַה־יִּתְרוֹן הָעוֹשֶׂה בַּאֲשֶׁר הוּא עָמֵל׃

10 רָאִיתִי אֶת־הָעִנְיָן אֲשֶׁר נָתַן אֱלֹהִים לִבְנֵי הָאָדָם לַעֲנוֹת בּוֹ׃

11 אֶת־הַכֹּל עָשָׂה יָפֶה בְעִתּוֹ גַּם אֶת־הָעֹלָם נָתַן בְּלִבָּם מִבְּלִי אֲשֶׁר לֹא־יִמְצָא הָאָדָם אֶת־הַמַּעֲשֶׂה אֲשֶׁר־עָשָׂה הָאֱלֹהִים מֵרֹאשׁ וְעַד־סוֹף׃

12 יָדַעְתִּי כִּי אֵין טוֹב בָּם כִּי אִם־לִשְׂמוֹחַ וְלַעֲשׂוֹת טוֹב בְּחַיָּיו׃

13 וְגַם כָּל־הָאָדָם שֶׁיֹּאכַל וְשָׁתָה וְרָאָה טוֹב בְּכָל־עֲמָלוֹ מַתַּת אֱלֹהִים הִיא׃

맛싸성경

9 일하는 자 그가 수고하는 것을 통해서 무슨 성과를 얻을 것인가? 10 나는 하나님이 사람의 아들들에게 주셔서 그것으로 수고하게 하신 업무를 보았다. 11 그분은 모든 것을 그의 시간 안에서 아름답게 하셨다. 또한 그들의 마음에 영원성을 두셨으나 하나님께서 처음부터 끝까지 하신 그 일들을 사람이 찾을 수 없게 하셨다. 12 (사람이) 그의 사는 동안 기뻐하거나 행복 (좋은 것)을 행하는 것보다 더 좋은 것이 없다는 것을 나는 알았다. 13 또한 모든 사람은 그가 먹고 그가 마시는 것에서 그리고 그의 모든 수고에서 행복(좋은 것)을 경험하는데 그것도 하나님의 선물이다.

NET

9 What benefit can a worker gain from his toil? 10 I have observed the burden that God has given to people to keep them occupied. 11 God has made everything fit beautifully in its appropriate time, but he has also placed ignorance in the human heart so that people cannot discover what God has ordained, from the beginning to the end of their lives. 12 I have concluded that there is nothing better for people than to be happy and to enjoy themselves as long as they live, 13 and also that everyone should eat and drink, and find enjoyment in all his toil, for these things are a gift from God.

3 WLC

14 יָדַעְתִּי כִּי כָּל־אֲשֶׁר יַעֲשֶׂה הָאֱלֹהִים הוּא יִהְיֶה לְעוֹלָם עָלָיו אֵין

לְהוֹסִיף וּמִמֶּנּוּ אֵין לִגְרֹעַ וְהָאֱלֹהִים עָשָׂה שֶׁיִּרְאוּ מִלְּפָנָיו׃

15 מַה־שֶּׁהָיָה כְּבָר הוּא וַאֲשֶׁר לִהְיוֹת כְּבָר הָיָה וְהָאֱלֹהִים יְבַקֵּשׁ

אֶת־נִרְדָּף׃

16 וְעוֹד רָאִיתִי תַּחַת הַשָּׁמֶשׁ מְקוֹם הַמִּשְׁפָּט שָׁמָּה הָרֶשַׁע וּמְקוֹם הַצֶּדֶק

שָׁמָּה הָרָשַׁע׃

17 אָמַרְתִּי אֲנִי בְּלִבִּי אֶת־הַצַּדִּיק וְאֶת־הָרָשָׁע יִשְׁפֹּט הָאֱלֹהִים כִּי־עֵת

לְכָל־חֵפֶץ וְעַל כָּל־הַמַּעֲשֶׂה שָׁם׃

맛싸성경

14 하나님께서 하신 모든 것은 영원히 있을 것이며 거기에는 추가할 수도 없고 그것에서부터 뺄 수도 없다. 하나님이 그것을 하셨으며 (사람들)이 그분 앞에서 두려워해야 한다는 사실을 알았다. 15 (지금) 있는 것은 무엇이든지 그것은 이미 있었고 또 (앞으로) 있을 것도 이미 있었으니 하나님께서는 사라진(지나간) 것들을 (다시) 찾으신다. 16 게다가 나는 태양 아래서 보았으니 곧 심판하는 장소 거기에도 불법이 있었고 의의 장소 거기에도 불법이 있었다. 17 나는 내 마음속으로 말했다. "하나님은 의인이나 범죄자를 심판하실 것이니 이는 모든 목적(행위)과 모든 사건에 대한 때가 거기 있기 때문이다."

NET

14 I also know that whatever God does will endure forever; nothing can be added to it, and nothing taken away from it. God has made it this way, so that men will fear him. 15 Whatever exists now has already been, and whatever will be has already been; for God will seek to do again what has occurred in the past. 16 I saw something else on earth: In the place of justice, there was wickedness, and in the place of fairness, there was wickedness. 17 I thought to myself, "God will judge both the righteous and the wicked; for there is an appropriate time for every activity, and there is a time of judgment for every deed."

3 WLC

18 אָמַרְתִּי אֲנִי בְּלִבִּי עַל־דִּבְרַת בְּנֵי הָאָדָם לְבָרָם הָאֱלֹהִים וְלִרְאוֹת
שְׁהֶם־בְּהֵמָה הֵמָּה לָהֶם:

19 כִּי מִקְרֶה בְנֵי־הָאָדָם וּמִקְרֶה הַבְּהֵמָה וּמִקְרֶה אֶחָד לָהֶם כְּמוֹת זֶה כֵּן
מוֹת זֶה וְרוּחַ אֶחָד לַכֹּל וּמוֹתַר הָאָדָם מִן־הַבְּהֵמָה אָיִן כִּי הַכֹּל הָבֶל:

20 הַכֹּל הוֹלֵךְ אֶל־מָקוֹם אֶחָד הַכֹּל הָיָה מִן־הֶעָפָר וְהַכֹּל שָׁב אֶל־הֶעָפָר:

21 מִי יוֹדֵעַ רוּחַ בְּנֵי הָאָדָם הָעֹלָה הִיא לְמָעְלָה וְרוּחַ הַבְּהֵמָה הַיֹּרֶדֶת
הִיא לְמַטָּה לָאָרֶץ:

22 וְרָאִיתִי כִּי אֵין טוֹב מֵאֲשֶׁר יִשְׂמַח הָאָדָם בְּמַעֲשָׂיו כִּי־הוּא חֶלְקוֹ כִּי מִי
יְבִיאֶנּוּ לִרְאוֹת בְּמֶה שֶׁיִּהְיֶה אַחֲרָיו:

맛싸성경

18 나는 내 마음 속으로 말했다. "사람의 아들들의 문제에 대해서 하나님이 그들을 시험하셔서 그들도 그들이 짐승이라는 사실을 보게(깨닫게) 하신다." 19 이는 사람의 아들들에게 일어나는 것과 짐승에게 일어나는 것은 하나같이 그들에게 일어나는 것이니 이것도(사람도) 죽는 것처럼 저것도(짐승도) 죽는 것이다. 그 모두에게는 하나의 호흡이 있으니 사람이 짐승보다 탁월함도 없으니 이는 모든 것이 덧없기 때문이다. 20 모두가 한곳으로 가니 모두가 흙에서 나왔다가 모두가 흙으로 돌아간다. 21 사람의 아들들의 영 그것은 위로 올라가고 짐승의 영 그것은 아래로 땅 밑으로 내려간다는 것을 누가 알겠는가? 22 그래서 사람이 자기의 일들을 기뻐하는 것보다 행복한 것이 없다는 사실을 나는 보았으니 이는 그것이 그의 몫이기 때문이다. 그가 뒤에 있을 일이 무엇인가를 보여 주려고 누가 그를 데려다 주겠는가?

NET

18 I also thought to myself, "It is for the sake of people, so God can clearly show them that they are like animals. 19 For the fate of humans and the fate of animals are the same: As one dies, so dies the other; both have the same breath. There is no advantage for humans over animals, for both are fleeting. 20 Both go to the same place; both come from the dust, and to dust both return. 21 Who really knows if the human spirit ascends upward, and the animal's spirit descends into the earth?" 22 So I perceived there is nothing better than for people to enjoy their work because that is their reward; for who can show them what the future holds?

4 WLC

וְשַׁבְתִּי אֲנִי וָאֶרְאֶה אֶת־כָּל־הָעֲשֻׁקִים אֲשֶׁר נַעֲשִׂים תַּחַת הַשָּׁמֶשׁ וְהִנֵּה ׀ 1

דִּמְעַת הָעֲשֻׁקִים וְאֵין לָהֶם מְנַחֵם וּמִיַּד עֹשְׁקֵיהֶם כֹּחַ וְאֵין לָהֶם מְנַחֵם:

וְשַׁבֵּחַ אֲנִי אֶת־הַמֵּתִים שֶׁכְּבָר מֵתוּ מִן־הַחַיִּים אֲשֶׁר הֵמָּה חַיִּים עֲדֶנָה: 2

וְטוֹב מִשְּׁנֵיהֶם אֵת אֲשֶׁר־עֲדֶן לֹא הָיָה אֲשֶׁר לֹא־רָאָה אֶת־הַמַּעֲשֶׂה 3

הָרָע אֲשֶׁר נַעֲשָׂה תַּחַת הַשָּׁמֶשׁ:

맛싸성경

1 나는 돌아와서 태양 아래서 행해지는 모든 압제들을 보았다. 보아라, 압제(당하는) 자들의 눈물이 있으나 그들에게는 그들을 위로하는 자가 없었다. 그들을 압제하는 자들의 손에는 권력이 있었으나 그들에게는 그들을 위로하는 자가 없었다. 2 나는 여전히 살아있는 그들인 살아있는 자들보다 이미 죽은 자들을 더 찬미했다. 3 그러나 그들 둘 보다 더 나은 사람은 지금까지 아직 없는 자(출생하지 않은 자)로 그는 태양 아래서 행해진 그 불행을 보지 않았던 자이다.

NET

1 So I again considered all the oppression that continually occurs on earth. This is what I saw: The oppressed were in tears, but no one was comforting them; no one delivers them from the power of their oppressors. 2 So I considered those who are dead and gone more fortunate than those who are still alive. 3 But better than both is the one who has not been born and has not seen the evil things that are done on earth.

4 WLC

‏4 וְרָאִיתִי אֲנִי אֶת־כָּל־עָמָל וְאֵת כָּל־כִּשְׁרוֹן הַמַּעֲשֶׂה כִּי הִיא

‏קִנְאַת־אִישׁ מֵרֵעֵהוּ גַּם־זֶה הֶבֶל וּרְעוּת רוּחַ׃

‏5 הַכְּסִיל חֹבֵק אֶת־יָדָיו וְאֹכֵל אֶת־בְּשָׂרוֹ׃

‏6 טוֹב מְלֹא כַף נָחַת מִמְּלֹא חָפְנַיִם עָמָל וּרְעוּת רוּחַ׃

‏7 וְשַׁבְתִּי אֲנִי וָאֶרְאֶה הֶבֶל תַּחַת הַשָּׁמֶשׁ׃

‏8 יֵשׁ אֶחָד וְאֵין שֵׁנִי גַּם בֵּן וָאָח אֵין־לוֹ וְאֵין קֵץ לְכָל־עֲמָלוֹ

‏גַּם־[עֵינָיו כ] (עֵינוֹ ק) לֹא־תִשְׂבַּע עֹשֶׁר וּלְמִי ׀ אֲנִי עָמֵל וּמְחַסֵּר

‏אֶת־נַפְשִׁי מִטּוֹבָה גַּם־זֶה הֶבֶל וְעִנְיַן רָע הוּא׃

맛싸성경

4 내가 보니 모든 수고와 일의 모든 유익이 그의 이웃 사람의 질투가 되었다. 이것 또한 덧없으며 바람을 열망하기(잡기)였다. 5 우둔한 자가 자기 팔짱을 끼고 자기 살을 먹었다. 6 한 손으로 평안함으로 가득한 것이 두 손으로 가득하고 수고하며 바람을 열망하는(잡는) 것보다 낫다. 7 나는 또 돌아와서 태양 아래서 덧없는 것을 보았으니 8 다른 사람이 없는 한 사람이 있었는데 또한 그는 아들이나 형제도 없었다. 그의 모든 수고함에는 끝이 없었고 그의 눈은 (많은) 부에 관해서도 만족지 않았다. "나는 누구를 위해서 수고를 하며 나의 영혼은 좋은 것(행복)에서 부족해야 하는가?"라고 묻지도 아니하니 이것 또한 덧없으며 고통스러운 업무이다.

NET

4 Then I considered all the skillful work that is done: Surely it is nothing more than competition between one person and another. This also is profitless—like chasing the wind. 5 The fool folds his hands and does no work, so he has nothing to eat but his own flesh. 6 Better is one handful with some rest than two hands full of toil and chasing the wind. 7 So I again considered another futile thing on earth: 8 A man who is all alone with no companion—he has no children nor siblings; yet there is no end to all his toil, and he is never satisfied with riches. He laments, "For whom am I toiling and depriving myself of pleasure?" This also is futile and a burdensome task!

4 WLC

9 טוֹבִים הַשְּׁנַיִם מִן־הָאֶחָד אֲשֶׁר יֵשׁ־לָהֶם שָׂכָר טוֹב בַּעֲמָלָם:

10 כִּי אִם־יִפֹּלוּ הָאֶחָד יָקִים אֶת־חֲבֵרוֹ וְאִילוֹ הָאֶחָד שֶׁיִּפּוֹל וְאֵין שֵׁנִי לַהֲקִימוֹ:

11 גַּם אִם־יִשְׁכְּבוּ שְׁנַיִם וְחַם לָהֶם וּלְאֶחָד אֵיךְ יֵחָם:

12 וְאִם־יִתְקְפוֹ הָאֶחָד הַשְּׁנַיִם יַעַמְדוּ נֶגְדּוֹ וְהַחוּט הַמְשֻׁלָּשׁ לֹא בִמְהֵרָה יִנָּתֵק:

맛싸성경

9 두 사람이 한 사람보다 나으니 이는 그들의 수고에 더 좋은 보상이 그들에게 있기 때문이다. 10 만일 그들이 넘어지면 그 하나가 그의 친구를 일으킬 것이다. 그러나 한 사람이 넘어졌는데도 그를 세워줄 다른 사람이 없는 자는 그에게 화 있도다. 11 또한 만일 둘이 누우면 그들은 따뜻해지지만 한 사람이라면 어떻게 따뜻하게 하겠느냐? 12 만일 어떤 사람이 한 사람을 압도하면 두 사람은 그 상대에 맞설 수 있다. 세 줄로 꼬은 줄은 빨리 끊어지지 않는다.

NET

9 Two people are better than one because they can reap more benefit from their labor. 10 For if they fall, one will help his companion up, but pity the person who falls down and has no one to help him up. 11 Furthermore, if two lie down together, they can keep each other warm, but how can one person keep warm by himself? 12 Although an assailant may overpower one person, two can withstand him. Moreover, a three-stranded cord is not quickly broken.

13 טוֹב יֶ֫לֶד מִסְכֵּן וְחָכָם מִמֶּלֶךְ זָקֵן וּכְסִיל אֲשֶׁר לֹא־יָדַע לְהִזָּהֵר עֽוֹד׃

14 כִּֽי־מִבֵּית הָסוּרִים יָצָא לִמְלֹךְ כִּי גַּם בְּמַלְכוּתוֹ נוֹלַד רָֽשׁ׃

15 רָאִיתִי אֶת־כָּל־הַחַיִּים הַמְהַלְּכִים תַּחַת הַשָּׁמֶשׁ עִם הַיֶּלֶד הַשֵּׁנִי אֲשֶׁר

יַעֲמֹד תַּחְתָּיו׃

16 אֵֽין־קֵץ לְכָל־הָעָם לְכֹל אֲשֶׁר־הָיָה לִפְנֵיהֶם גַּם הָאַחֲרוֹנִים לֹא

יִשְׂמְחוּ־בוֹ כִּי־גַם־זֶה הֶבֶל וְרַעְיוֹן רֽוּחַ׃

17 שְׁמֹר [רגליך כ] (רַגְלְךָ ק) כַּאֲשֶׁר תֵּלֵךְ אֶל־בֵּית הָאֱלֹהִים וְקָרוֹב

לִשְׁמֹעַ מִתֵּת הַכְּסִילִים זָבַח כִּי־אֵינָם יוֹדְעִים לַעֲשׂוֹת רָֽע׃

맛싸성경

13 가난하나 지혜로운 소년이 더 이상 경고(권고)받을 줄을 알지 못하는 나이 들고 우둔한 왕보다 낫다. 14 이는 비록 그가 가난한 자로 그의 왕국에 태어났어도 그는 감옥 (같은) 집에서부터 나와 왕이 될 수(다스릴 수) 있기 때문이다. 15 그 태양 아래서 걸어다니는 모든 생명들이 그(왕)를 이어서 서야 하는 두 번째 소년과 함께 있는 것을 나는 보았다. 16 모든 백성 곧 그들 앞에 있던 모든 사람들이 끝이 없었으나 그 후에 오는 사람들은 그와 함께 기뻐하지 않았다. 이것 또한 덧없으며 바람을 열망하기(잡기)였다. 5:1(히, 4:17) 너는 하나님의 집으로 갈 때 네 발을 (잘) 지켜라. 우둔한 자들의 희생을 드리는 것보다 들으려고 가까이 나아가는 것이 낫다. 이는 그들이 악을 행한다는 지식도 없기 때문이다.

NET

13 A poor but wise youth is better than an old and foolish king who no longer knows how to receive advice. 14 For he came out of prison to become king, even though he had been born poor in what would become his kingdom. 15 I considered all the living who walk on earth, as well as the successor who would arise in his place. 16 There is no end to all the people nor to the past generations, yet future generations will not rejoice in him. This also is profitless and like chasing the wind. 5:1 (H 4:17) Be careful what you do when you go to the temple of God; draw near to listen rather than to offer a sacrifice like fools, for they do not realize that they are doing wrong.

5 WLC

1 אַל־תְּבַהֵל עַל־פִּיךָ וְלִבְּךָ אַל־יְמַהֵר לְהוֹצִיא דָבָר לִפְנֵי הָאֱלֹהִים כִּי

הָאֱלֹהִים בַּשָּׁמַיִם וְאַתָּה עַל־הָאָרֶץ עַל־כֵּן יִהְיוּ דְבָרֶיךָ מְעַטִּים:

2 כִּי בָּא הַחֲלוֹם בְּרֹב עִנְיָן וְקוֹל כְּסִיל בְּרֹב דְּבָרִים:

3 כַּאֲשֶׁר תִּדֹּר נֶדֶר לֵאלֹהִים אַל־תְּאַחֵר לְשַׁלְּמוֹ כִּי אֵין חֵפֶץ בַּכְּסִילִים

אֵת אֲשֶׁר־תִּדֹּר שַׁלֵּם:

4 טוֹב אֲשֶׁר לֹא־תִדֹּר מִשֶּׁתִּדּוֹר וְלֹא תְשַׁלֵּם:

5 אַל־תִּתֵּן אֶת־פִּיךָ לַחֲטִיא אֶת־בְּשָׂרֶךָ וְאַל־תֹּאמַר לִפְנֵי הַמַּלְאָךְ כִּי

שְׁגָגָה הִיא לָמָּה יִקְצֹף הָאֱלֹהִים עַל־קוֹלֶךָ וְחִבֵּל אֶת־מַעֲשֵׂה יָדֶיךָ:

6 כִּי בְרֹב חֲלֹמוֹת וַהֲבָלִים וּדְבָרִים הַרְבֵּה כִּי אֶת־הָאֱלֹהִים יְרָא:

맛싸성경

2(히, 5:1) 너는 네 입으로 서두르지 말고 하나님 앞에서 말을 하려고 네 마음을 급하게 하지 마라. 이는 하나님은 하늘(들)에 계시고 너는 땅 (위)에 있기 때문이니 그러므로 너의 말들을 적게 하여라. 3 이는 업무가 많을 때 꿈이 오고 말들이 많을 때 우둔한 자의 소리가 있음이라. 4 네가 하나님께 서원을 하였으면 그것을 이행하는데 미루지 말지니 이는 그분은 우둔한 자들 안에서는 기쁨이 없으시기 때문이다. 너는 서원을 이행하라. 5 네가 (서원을) 이행하지 않는 것보다 네가 서원을 하지 않는 것이 낫다. 6 네 육체에 죄짓는데 네 입을 내어주지 말며 또 전달자(천사) 앞에서 "이것은 실수한 것이다." 말하지 마라. 어찌하여 하나님께서 네 목소리에 화내셔야 하며 네 손의 일을 파괴하셔야 하느냐? 7 이는 꿈이 많으면 무익한 일들이 있고 말들이 많아도 (그렇다). 그러므로 하나님을 경외하라.

NET

2 (H 5:1) Do not be rash with your mouth or hasty in your heart to bring up a matter before God, for God is in heaven and you are on earth! Therefore, let your words be few. 3 Just as dreams come when there are many cares, so the rash vow of a fool occurs when there are many words. 4 When you make a vow to God, do not delay in paying it. For God takes no pleasure in fools: Pay what you vow! 5 It is better for you not to vow than to vow and not pay it. 6 Do not let your mouth cause you to sin, and do not tell the priest, "It was a mistake!" Why make God angry at you so that he would destroy the work of your hands? 7 Just as there is futility in many dreams, so also in many words. Therefore, fear God.

אִם־עֹשֶׁק רָשׁ וְגֵזֶל מִשְׁפָּט וָצֶדֶק תִּרְאֶה בַמְּדִינָה אַל־תִּתְמַהּ עַל־הַחֵפֶץ ₇

כִּי גָבֹהַּ מֵעַל גָּבֹהַּ שֹׁמֵר וּגְבֹהִים עֲלֵיהֶם׃

וְיִתְרוֹן אֶרֶץ בַּכֹּל [הִיא כ] (הוּא ק) מֶלֶךְ לְשָׂדֶה נֶעֱבָד׃ ₈

אֹהֵב כֶּסֶף לֹא־יִשְׂבַּע כֶּסֶף וּמִי־אֹהֵב בֶּהָמוֹן לֹא תְבוּאָה גַּם־זֶה הָבֶל׃ ₉

בִּרְבוֹת הַטּוֹבָה רַבּוּ אוֹכְלֶיהָ וּמַה־כִּשְׁרוֹן לִבְעָלֶיהָ כִּי אִם־[רְאִיַּת כ] ₁₀

(רְאוּת ק) עֵינָיו׃

מְתוּקָה שְׁנַת הָעֹבֵד אִם־מְעַט וְאִם־הַרְבֵּה יֹאכֵל וְהַשָּׂבָע לֶעָשִׁיר אֵינֶנּוּ ₁₁

מַנִּיחַ לוֹ לִישׁוֹן׃

맛싸성경

8(히, 5:7) 만일 네가 어떤 지방에서 가난한 자의 압
제와 공평과 정의가 강탈됨을 보거든 너는 그 일로 깜
짝 놀라지 마라. 이는 높은 자를 다른 높은 자가 지켜
보기 때문이며 또 그들 위에 (더) 높은 자들이 있기 때
문이다. **9** 그러나 땅의 이윤(소득) 그것은 모든 사람
을 위한 것이다. 왕도 들판(밭의 소산)으로 섬겨진다.
10 은(돈)을 사랑하는 자는 은(돈)으로 만족하지 못하
고 큰 풍부를 사랑하는 자는 그의 소득으로 (만족)하
지 않는다. 이것 또한 덧없다. **11** 번영(재산)이 많아
지면 그것을 먹는 자들도 많아진다. 그러므로 그 주인
에게는 그의 눈들로 보는 것 이외에 무슨 유익이 있는
가? **12** 그가 먹는 것이 적든지 혹은 많든지 일하는 자
의 잠은 달지만 부자의 풍부함은 그에게 잠자도록 쉼
을 허락하지 않는다.

NET

8 (H 5:7) If you see the extortion of the poor, or
the perversion of justice and fairness in the
government, do not be astonished by the matter.
For the high official is watched by a higher official,
and there are higher ones over them! **9** The
produce of the land is seized by all of them, even
the king is served by the fields. **10** The one who
loves money will never be satisfied with money; he
who loves wealth will never be satisfied with his
income. This also is futile. **11** When someone's
prosperity increases, those who consume it also
increase; so what does its owner gain, except that
he gets to see it with his eyes? **12** The sleep of the
laborer is pleasant—whether he eats little or
much—but the wealth of the rich will not allow
him to sleep.

5 WLC

12 יֵשׁ רָעָה חוֹלָה רָאִיתִי תַּחַת הַשָּׁמֶשׁ עֹשֶׁר שָׁמוּר לִבְעָלָיו לְרָעָתוֹ:

13 וְאָבַד הָעֹשֶׁר הַהוּא בְּעִנְיַן רָע וְהוֹלִיד בֵּן וְאֵין בְּיָדוֹ מְאוּמָה:

14 כַּאֲשֶׁר יָצָא מִבֶּטֶן אִמּוֹ עָרוֹם יָשׁוּב לָלֶכֶת כְּשֶׁבָּא וּמְאוּמָה לֹא־יִשָּׂא בַעֲמָלוֹ

שֶׁיֹּלֵךְ בְּיָדוֹ:

15 וְגַם־זֹה רָעָה חוֹלָה כָּל־עֻמַּת שֶׁבָּא כֵּן יֵלֵךְ וּמַה־יִּתְרוֹן לוֹ שֶׁיַּעֲמֹל לָרוּחַ:

16 גַּם כָּל־יָמָיו בַּחֹשֶׁךְ יֹאכֵל וְכָעַס הַרְבֵּה וְחָלְיוֹ וָקָצֶף:

맛싸성경

13(히, 5:12) 태양 아래서 치명적인 불행이 있는 것을 나는 보았으니 (곧) 주인을 지켰던 재산이 그의 불행을 위한 것이었다. 14 또 그 재산이 고통스러운 업무를 통해서 망하였으니 그가 아들을 낳았어도 그의 손에는 아무것도 없다. 15 그가 자기 어머니의 배에서 벌거벗은 (채로) 나왔던 때같이 그는 돌아가며 그의 손으로 가져온 수고를 어떤 것도 가져가지 못한다. 16 이것도 역시 치명적 불행이다. 그가 왔던 (모양) 그대로 그렇게 갈 것이니 그가 바람을 위해 수고한 것이 그에게 무슨 성과가 있는가? 17 또한 그의 모든 날들 동안 그는 어두운 곳에서 먹고 많은 걱정과 병과 진노가 그에게 있다.

NET

13 (H 5:12) Here is a misfortune on earth that I have seen: Wealth hoarded by its owner to his own misery. 14 Then that wealth was lost through bad luck; although he fathered a son, he has nothing left to give him. 15 Just as he came forth from his mother's womb, naked will he return as he came, and he will take nothing in his hand that he may carry away from his toil. 16 This is another misfortune: Just as he came, so will he go. What did he gain from toiling for the wind? 17 Surely, he ate in darkness every day of his life, and he suffered greatly with sickness and anger.

5 WLC

17 הִנֵּה אֲשֶׁר־רָאִיתִי אָנִי טוֹב אֲשֶׁר־יָפֶה לֶאֱכוֹל־וְלִשְׁתּוֹת וְלִרְאוֹת טוֹבָה

בְּכָל־עֲמָלוֹ ׀ שֶׁיַּעֲמֹל תַּחַת־הַשֶּׁמֶשׁ מִסְפַּר יְמֵי־[חַיָּו כ] (חַיָּיו ק)

אֲשֶׁר־נָתַן־לוֹ הָאֱלֹהִים כִּי־הוּא חֶלְקוֹ׃

18 גַּם כָּל־הָאָדָם אֲשֶׁר נָתַן־לוֹ הָאֱלֹהִים עֹשֶׁר וּנְכָסִים וְהִשְׁלִיטוֹ לֶאֱכֹל

מִמֶּנּוּ וְלָשֵׂאת אֶת־חֶלְקוֹ וְלִשְׂמֹחַ בַּעֲמָלוֹ זֹה מַתַּת אֱלֹהִים הִיא׃

19 כִּי לֹא הַרְבֵּה יִזְכֹּר אֶת־יְמֵי חַיָּיו כִּי הָאֱלֹהִים מַעֲנֶה בְּשִׂמְחַת לִבּוֹ׃

맛싸성경

18(히, 5:17) 보아라, (사람이) 먹고 마시며 그가 태양 아래서 수고하며 하나님께서 그에게 주신 그의 생명의 날 동안 그의 모든 수고함으로 행복을 경험하는 것이 좋고 아름답다는 것을 나는 보았으니 이것이 그의 몫이기 때문이다. 19 또한 모든 사람에게 하나님이 그에게 부와 재산을 주셔서 그것으로부터 먹도록 주관하게 하셨고 그의 몫을 받으며 그의 수고로 그가 기뻐하도록 하셨으니 이것이 하나님의 선물이다. 20 사람이 그의 날들(생애)을 많이 기억하지 않을 것이니 이는 하나님이 그의 마음에 기쁨으로 응대(붙잡히게)하시기 때문이다.

NET

18 (H 5:17) I have seen personally what is the only beneficial and appropriate course of action for people: to eat and drink, and find enjoyment in all their hard work on earth during the few days of their life that God has given them, for this is their reward. 19 To every man whom God has given wealth and possessions, he has also given him the ability to eat from them, to receive his reward, and to find enjoyment in his toil; these things are the gift of God. 20 For he does not think much about the fleeting days of his life because God keeps him preoccupied with the joy he derives from his activity.

6 WLC

1 יֵשׁ רָעָה אֲשֶׁר רָאִיתִי תַּחַת הַשָּׁמֶשׁ וְרַבָּה הִיא עַל־הָאָדָם:

2 אִישׁ אֲשֶׁר יִתֶּן־לֹו הָאֱלֹהִים עֹשֶׁר וּנְכָסִים וְכָבוֹד וְאֵינֶנּוּ חָסֵר לְנַפְשׁוֹ ׀ מִכֹּל אֲשֶׁר־יִתְאַוֶּה וְלֹא־יַשְׁלִיטֶנּוּ הָאֱלֹהִים לֶאֱכֹל מִמֶּנּוּ כִּי אִישׁ נָכְרִי יֹאכֲלֶנּוּ זֶה הֶבֶל וָחֳלִי רָע הוּא:

3 אִם־יוֹלִיד אִישׁ מֵאָה וְשָׁנִים רַבּוֹת יִחְיֶה וְרַב ׀ שֶׁיִּהְיוּ יְמֵי־שָׁנָיו וְנַפְשׁוֹ לֹא־תִשְׂבַּע מִן־הַטּוֹבָה וְגַם־קְבוּרָה לֹא־הָיְתָה לֹּו אָמַרְתִּי טוֹב מִמֶּנּוּ הַנָּפֶל:

맛싸성경

1 태양 아래서 내가 본 불행이 있으니 그것은 사람에게 많은 것이다. 2 하나님께서는 어떤 사람에게 재산과 부와 명예를 주셔서 그가 소원하는 모든 것에서 그 영혼에 어떤 부족함도 없게 하실 수 있으시나 하나님께서는 그를 그것에서 먹도록 주관하지(누리지) 못하게 하실 수 있으니 이는 이방인이 그것을 먹는 것이다. 이것도 덧없는 일이며 그것은 치명적인 불행이다. 3 만일 어떤 사람이 100 명의 자녀들과 오랜 세월을 살아 그의 연수의 날들이 많더라도 그 영혼이 행복에서 만족하지 못하고 또한 그가 장례 되지도 못하면 "낙태된 아이가 그 사람보다 낫다."라고 나는 말한다.

NET

1 Here is another misfortune that I have seen on earth, and it weighs heavily on people: 2 God gives a man riches, property, and wealth so that he lacks nothing that his heart desires, yet God does not enable him to enjoy the fruit of his labor—instead, someone else enjoys it! This is fruitless and a grave misfortune. 3 Even if a man fathers a hundred children and lives many years, even if he lives a long, long time, but cannot enjoy his prosperity— even if he were to live forever—I would say, "A stillborn child is better off than he is."

6 WLC

4 כִּי־בַהֶבֶל בָּא וּבַחֹשֶׁךְ יֵלֵךְ וּבַחֹשֶׁךְ שְׁמוֹ יְכֻסֶּה:

5 גַּם־שֶׁמֶשׁ לֹא־רָאָה וְלֹא יָדָע נַחַת לָזֶה מִזֶּה:

6 וְאִלּוּ חָיָה אֶלֶף שָׁנִים פַּעֲמַיִם וְטוֹבָה לֹא רָאָה הֲלֹא אֶל־מָקוֹם אֶחָד הַכֹּל הוֹלֵךְ:

7 כָּל־עֲמַל הָאָדָם לְפִיהוּ וְגַם־הַנֶּפֶשׁ לֹא תִמָּלֵא:

8 כִּי מַה־יּוֹתֵר לֶחָכָם מִן־הַכְּסִיל מַה־לֶּעָנִי יוֹדֵעַ לַהֲלֹךְ נֶגֶד הַחַיִּים:

9 טוֹב מַרְאֵה עֵינַיִם מֵהֲלָךְ־נָפֶשׁ גַּם־זֶה הֶבֶל וּרְעוּת רוּחַ:

맛싸성경

4 이는 그는 덧없이 와서 어둠 속에서 갔으며 그의 이름이 어둠 속에 덮였다. 5 게다가 태양도 보지 못하고 (어떤 것도) 알지 못해서 이 사람이 다른 사람보다 더 안식하였다. 6 비록 그가 1,000년을 두 번 살아도 그가 행복을 경험하지 못한다면 모든 자들은 한곳으로 가야 하지 않는가? 7 사람의 모든 수고는 그의 입을 위하는 것이나 그럼에도 그의 영혼은 채워지지 않는다. 8 참으로 우둔한 자보다 지혜로운 자에게 무엇이 나은 가? (다른) 생명들 앞에서 걸어 다닐(행할) 줄을 아는 가난한 자에게 무엇이 (더 나은가)? 9 영혼으로 다니는 것(마음의 상상)보다 눈들로 보는 것이 더 좋다. 이 또한 덧없는 것이며 바람을 열망하기(잡기)이다.

NET

4 Though the stillborn child came into the world for no reason and departed into darkness, though its name is shrouded in darkness, 5 though it never saw the light of day nor knew anything, yet it has more rest than that man— 6 if he should live a thousand years twice, yet does not enjoy his prosperity. For both of them die! 7 All man's labor is for nothing more than to fill his stomach—yet his appetite is never satisfied! 8 So what advantage does a wise man have over a fool? And what advantage does a pauper gain by knowing how to survive? 9 It is better to be content with what the eyes can see than for one's heart always to crave more. This continual longing is futile—like chasing the wind.

6 WLC

10 מַה־שֶּׁהָיָה כְּבָר נִקְרָא שְׁמוֹ וְנוֹדָע אֲשֶׁר־הוּא אָדָם וְלֹא־יוּכַל לָדִין עִם

[שֶׁהַתְקִיף כ] (שֶׁתַּקִיף ק) מִמֶּנּוּ׃

11 כִּי יֵשׁ־דְּבָרִים הַרְבֵּה מַרְבִּים הָבֶל מַה־יֹּתֵר לָאָדָם׃

12 כִּי מִי־יוֹדֵעַ מַה־טּוֹב לָאָדָם בַּחַיִּים מִסְפַּר יְמֵי־חַיֵּי הֶבְלוֹ וְיַעֲשֵׂם כַּצֵּל

אֲשֶׁר מִי־יַגִּיד לָאָדָם מַה־יִּהְיֶה אַחֲרָיו תַּחַת הַשָּׁמֶשׁ׃

맛싸성경

10 있었던 모든 것은 이전에 그 이름이 불려진 것이며 그는 (어떤) 사람이라는 것도 알려졌으나 자기보다 강력한 자와 다툴 수는 없다. 11 참으로 말들이 많이 있으면 덧없는 것이 많다. 사람에게 무슨 이익이 있는가? 12 참으로 사람이 사는 연수 동안에 무엇이 좋은지(행복한지) 누가 알겠는가? 그림자같이 그날들을 지내는 그의 덧없는 삶의 날 동안 (말이다). 태양 아래서 그의 뒤에 있을 것이 무엇일지 어떤 사람이 말할 수 있겠는가?

NET

10 Whatever has happened was foreordained, and what happens to a person was also foreknown. It is useless for him to argue with God about his fate because God is more powerful than he is. 11 The more one argues with words, the less he accomplishes. How does that benefit him? 12 For no one knows what is best for a person during his life—during the few days of his fleeting life—for they pass away like a shadow. Nor can anyone tell him what the future will hold for him on earth.

7 WLC

‏טוֹב שֵׁם מִשֶּׁמֶן טוֹב וְיוֹם הַמָּוֶת מִיּוֹם הִוָּלְדוֹ׃ 1

‏טוֹב לָלֶכֶת אֶל־בֵּית־אֵבֶל מִלֶּכֶת אֶל־בֵּית מִשְׁתֶּה בַּאֲשֶׁר הוּא סוֹף 2
‏כָּל־הָאָדָם וְהַחַי יִתֵּן אֶל־לִבּוֹ׃

‏טוֹב כַּעַס מִשְּׂחֹק כִּי־בְרֹעַ פָּנִים יִיטַב לֵב׃ 3

‏לֵב חֲכָמִים בְּבֵית אֵבֶל וְלֵב כְּסִילִים בְּבֵית שִׂמְחָה׃ 4

맛싸성경

1 좋은 이름이 좋은 기름보다 더 좋고 죽는 날이 태어난 날보다 더 좋도다. 2 애곡하는 집에 가는 것이 잔치하는 집에 가는 것보다 더 좋다. 왜냐하면 그것이 모든 사람들의 마지막이며 살아있는 자는 (이것을) 그의 마음에 둘 것이기 때문이다. 3 분노가 웃음보다 더 좋으니 이는 얼굴의 슬픔으로 인해 마음은 기쁠 수가 있기 때문이다. 4 지혜로운 자들의 마음은 애도하는 자의 집에 있으나 우둔한 자들의 마음은 기뻐하는 자의 집에 있도다.

NET

1 A good reputation is better than precious perfume; likewise, the day of one's death is better than the day of one's birth. 2 It is better to go to a funeral than a feast. For death is the destiny of every person, and the living should take this to heart. 3 Sorrow is better than laughter because sober reflection is good for the heart. 4 The heart of the wise is in the house of mourning, but the heart of fools is in the house of merrymaking.

7 WLC

5 טוֹב לִשְׁמֹעַ גַּעֲרַת חָכָם מֵאִישׁ שֹׁמֵעַ שִׁיר כְּסִילִים:

6 כִּי כְקוֹל הַסִּירִים תַּחַת הַסִּיר כֵּן שְׂחֹק הַכְּסִיל וְגַם־זֶה הָבֶל:

7 כִּי הָעֹשֶׁק יְהוֹלֵל חָכָם וִיאַבֵּד אֶת־לֵב מַתָּנָה:

8 טוֹב אַחֲרִית דָּבָר מֵרֵאשִׁיתוֹ טוֹב אֶרֶךְ־רוּחַ מִגְּבַהּ־רוּחַ:

9 אַל־תְּבַהֵל בְּרוּחֲךָ לִכְעוֹס כִּי כַעַס בְּחֵיק כְּסִילִים יָנוּחַ:

10 אַל־תֹּאמַר מֶה הָיָה שֶׁהַיָּמִים הָרִאשֹׁנִים הָיוּ טוֹבִים מֵאֵלֶּה כִּי לֹא

מֵחָכְמָה שָׁאַלְתָּ עַל־זֶה:

맛싸성경

5 사람이 우둔한 자들의 노래를 듣는 것보다 지혜로운 자의 책망을 듣는 것이 더 좋다. 6 이는 가마솥 밑에서 (타는) 가시덤불들의 소리같이 우둔한 자들의 웃음은 그러하다. 이것도 또한 덧없다. 7 참으로 압제는 지혜로운 자를 어리석게 만들고 뇌물은 마음을 파괴한다. 8 일의 끝이 그(것의) 시작보다 더 좋고 마음을 오래 참는 것이 마음의 교만보다 더 좋다. 9 분노하여 네 마음으로 서두르지 마라. 왜냐하면 분노(짜증)는 우둔한 자들의 품에 거하기 때문이다. 10 "예전에 있었던 것이 이것들(지금)보다 더 좋은 이유는 무엇인가?"라고 너는 말하지 마라. 이는 네가 이것을 묻는 것은 지혜에서 난 것이 아니기 때문이다.

NET

5 It is better for a person to receive a rebuke from those who are wise than to listen to the song of fools. 6 For like the crackling of quick-burning thorns under a cooking pot, so is the laughter of the fool. This kind of folly also is useless. 7 Surely oppression can turn a wise person into a fool; likewise, a bribe corrupts the heart. 8 The end of a matter is better than its beginning; likewise, patience is better than pride. 9 Do not let yourself be quickly provoked, for anger resides in the lap of fools. 10 Do not say, "Why were the old days better than these days?" for it is not wise to ask that.

11 טוֹבָה חָכְמָה עִם־נַחֲלָה וְיֹתֵר לְרֹאֵי הַשָּׁמֶשׁ׃

12 כִּי בְּצֵל הַחָכְמָה בְּצֵל הַכָּסֶף וְיִתְרוֹן דַּעַת הַחָכְמָה תְּחַיֶּה בְעָלֶיהָ׃

13 רְאֵה אֶת־מַעֲשֵׂה הָאֱלֹהִים כִּי מִי יוּכַל לְתַקֵּן אֵת אֲשֶׁר עִוְּתוֹ׃

14 בְּיוֹם טוֹבָה הֱיֵה בְטוֹב וּבְיוֹם רָעָה רְאֵה גַּם אֶת־זֶה לְעֻמַּת־זֶה עָשָׂה

הָאֱלֹהִים עַל־דִּבְרַת שֶׁלֹּא יִמְצָא הָאָדָם אַחֲרָיו מְאוּמָה׃

맛싸성경

11 지혜는 상속 받음 같이 좋은 것(아름다운 것)이니 그것은 태양을 보는 자에게 유익이다. 12 (이는) 지혜는 보호해 주고 돈도 보호해 주며 지식도 유익이 있고 지혜는 그것을 가진 자로 살게 한다. 13 하나님의 하신 일을 보아라. 이는 그분이 굽힌 것을 누가 바르게 할 수 있는가? 14 행복한(좋은) 날에는 행복함(좋음)이 있게 하고 불행한 날에는 보아라(생각하라). 또한 하나님께서 이것에 저것을 놓으셔서 사람이 그것 뒤에 어떤 것을 만날지 모르는 일들을 두셨다.

NET

11 Wisdom, like an inheritance, is a good thing; it benefits those who see the light of day. 12 For wisdom provides protection, just as money provides protection. But the advantage of knowledge is this: Wisdom preserves the life of its owner. 13 Consider the work of God: For who can make straight what he has bent? 14 In times of prosperity be joyful, but in times of adversity consider this: God has made one as well as the other, so that no one can discover what the future holds.

7 WLC

15 אֶת־הַכֹּל רָאִיתִי בִּימֵי הֶבְלִי יֵשׁ צַדִּיק אֹבֵד בְּצִדְקוֹ וְיֵשׁ רָשָׁע מַאֲרִיךְ בְּרָעָתוֹ:

16 אַל־תְּהִי צַדִּיק הַרְבֵּה וְאַל־תִּתְחַכַּם יוֹתֵר לָמָּה תִּשּׁוֹמֵם:

17 אַל־תִּרְשַׁע הַרְבֵּה וְאַל־תְּהִי סָכָל לָמָּה תָמוּת בְּלֹא עִתֶּךָ:

18 טוֹב אֲשֶׁר תֶּאֱחֹז בָּזֶה וְגַם־מִזֶּה אַל־תַּנַּח אֶת־יָדֶךָ כִּי־יְרֵא אֱלֹהִים יֵצֵא אֶת־כֻּלָּם:

맛싸성경

15 내가 나의 덧없는 날들 가운데 이 모든 것을 보았다. 곧 의로운 자가 그의 의로움 가운데 멸망당하고 또 그의 악 중에서 오래가는 사악한 자도 있었다. 16 너는 지나치게 의인이 되지 말고 넘치게 지혜롭지도 마라. 어찌하여 네가 그것들로 파괴 당하려 하는가? 17 너는 지나치게 사악한 자가 되지 말고 우둔한 자도 되지 마라. 어찌하여 너는 너의 때가 아닐 때 네가 죽으려 하느냐? 18 너는 이것을 붙잡는 것이 좋으며 또한 저것에서 네 손을 놓지 마라. 이는 하나님을 경외하는 자는 그 모든 것들에서부터 (빠져)나올 수 있기 때문이다.

NET

15 During the days of my fleeting life I have seen both of these things: Sometimes a righteous person dies prematurely in spite of his righteousness, and sometimes a wicked person lives long in spite of his evil deeds. 16 So do not be excessively righteous or excessively wise; otherwise you might be disappointed. 17 Do not be excessively wicked and do not be a fool; otherwise you might die before your time. 18 It is best to take hold of one warning without letting go of the other warning; for the one who fears God will follow both warnings.

7 WLC

יט הַחָכְמָה תָּעֹז לֶחָכָם מֵעֲשָׂרָה שַׁלִּיטִים אֲשֶׁר הָיוּ בָעִיר׃

כ כִּי אָדָם אֵין צַדִּיק בָּאָרֶץ אֲשֶׁר יַעֲשֶׂה־טּוֹב וְלֹא יֶחֱטָא׃

כא גַּם לְכָל־הַדְּבָרִים אֲשֶׁר יְדַבֵּרוּ אַל־תִּתֵּן לִבֶּךָ אֲשֶׁר לֹא־תִשְׁמַע

אֶת־עַבְדְּךָ מְקַלְלֶךָ׃

כב כִּי גַּם־פְּעָמִים רַבּוֹת יָדַע לִבֶּךָ אֲשֶׁר גַּם־[אַתְּ כ] (אַתָּה ק) קִלַּלְתָּ

אֲחֵרִים׃

כג כָּל־זֹה נִסִּיתִי בַחָכְמָה אָמַרְתִּי אֶחְכָּמָה וְהִיא רְחוֹקָה מִמֶּנִּי׃

כד רָחוֹק מַה־שֶּׁהָיָה וְעָמֹק ׀ עָמֹק מִי יִמְצָאֶנּוּ׃

맛싸성경

19 지혜는 지혜로운 자에게 그 도시에 있는 10 명의 다스리는 자들보다 더 힘이 있게 한다. 20 이는 선을 행하고 죄를 짓지 않는 의인은 세상에 한 사람도 없기 때문이다. 21 또한 그들이 말하는 모든 말들에 네 마음을 두지 마라. 그리하면 너는 네 종이 너를 저주(하는 것)을 듣지 않을 것이다. 22 이는 너도 또한 여러 번 다른 사람들을 저주한 것을 네 마음이 알고 있기 때문이다. 23 이 모든 것을 나는 지혜로 시험하였다. 나는 말하기를 "나는 지혜로울 것이다." 그러나 그것은 나로부터 멀리 있었다. 24 그것이 무엇인지 멀리 있으며 그것은 참으로 깊이가 있으니 누가 그것을 찾을 수 있을까?

NET

19 Wisdom gives a wise person more protection than ten rulers in a city. 20 For there is not one truly righteous person on the earth who continually does good and never sins. 21 Also, do not pay attention to everything that people say; otherwise, you might even hear your servant cursing you. 22 For you know in your own heart that you also have cursed others many times. 23 I have examined all this by wisdom; I said, "I am determined to comprehend this"—but it was beyond my grasp. 24 Whatever has happened is beyond human understanding; it is far deeper than anyone can fathom.

7 WLC

25 סַבּוֹתִי אֲנִי וְלִבִּי לָדַעַת וְלָתוּר וּבַקֵּשׁ חָכְמָה וְחֶשְׁבּוֹן וְלָדַעַת רֶשַׁע כֶּסֶל וְהַסִּכְלוּת הוֹלֵלוֹת:

26 וּמוֹצֶא אֲנִי מַר מִמָּוֶת אֶת־הָאִשָּׁה אֲשֶׁר־הִיא מְצוֹדִים וַחֲרָמִים לִבָּהּ אֲסוּרִים יָדֶיהָ טוֹב לִפְנֵי הָאֱלֹהִים יִמָּלֵט מִמֶּנָּה וְחוֹטֵא יִלָּכֶד בָּהּ:

27 רְאֵה זֶה מָצָאתִי אָמְרָה קֹהֶלֶת אַחַת לְאַחַת לִמְצֹא חֶשְׁבּוֹן:

28 אֲשֶׁר עוֹד־בִּקְשָׁה נַפְשִׁי וְלֹא מָצָאתִי אָדָם אֶחָד מֵאֶלֶף מָצָאתִי וְאִשָּׁה בְכָל־אֵלֶּה לֹא מָצָאתִי:

29 לְבַד רְאֵה־זֶה מָצָאתִי אֲשֶׁר עָשָׂה הָאֱלֹהִים אֶת־הָאָדָם יָשָׁר וְהֵמָּה בִקְשׁוּ חִשְּׁבֹנוֹת רַבִּים:

맛싸성경

25 나는 방향을 돌려서 내 마음으로 알려고 연구하며 지혜와 (이해력의) 결론(이치)를 추구하였으며 또 사악함은 우둔하며 어리석음이 미친 것임을 알려고 하였다. 26 나는 죽음보다 더 쓴 여자를 발견했는데 그 여자는 덫과 올가미가 그 마음에 있으며 그 손은 족쇄들과 같았다. 여호와 앞에서 선한 자는 그 여자로부터 구출 받을 것이나 죄를 짓는 사람은 그 여자에게 사로잡힐 것이다. 27 "보아라, 내가 찾은 것은 이것이니 하나에서 다른 것까지 (이해력의) 결론(이치)을 찾으려고 한 것이다." 라고 전도자는 말한다. 28 내 마음이 아직도 찾고 있었으나 내가 찾지 못했다는 사실이다. 천 사람 중에서 한 사람을 내가 찾았으나 내가 이 모든 자들 중에 한 여자도 찾지 못했다. 29 보아라, 이것이 내가 발견한 유일한 것이다. 하나님이 사람을 올바르게 만드셨으나 그들은 많은 것들의 욕구들(계획들)을 추구하였다(찾았다).

NET

25 I tried to understand, examine, and comprehend the role of wisdom in the scheme of things, and to understand the stupidity of wickedness and the insanity of folly. 26 I discovered this: More bitter than death is the kind of woman who is like a hunter's snare; her heart is like a hunter's net, and her hands are like prison chains. The man who pleases God escapes her, but the sinner is captured by her. 27 The Teacher says: I discovered this while trying to discover the scheme of things, item by item. 28 What I have continually sought, I have not found; I have found only one upright man among a thousand, but I have not found one upright woman among all of them. 29 This alone have I discovered: God made humankind upright, but they have sought many evil schemes.

8 WLC

1 מִי כְּהֶחָכָם וּמִי יוֹדֵעַ פֵּשֶׁר דָּבָר חָכְמַת אָדָם תָּאִיר פָּנָיו וְעֹז פָּנָיו יְשֻׁנֶּא׃

2 אֲנִי פִּי־מֶלֶךְ שְׁמוֹר וְעַל דִּבְרַת שְׁבוּעַת אֱלֹהִים׃

3 אַל־תִּבָּהֵל מִפָּנָיו תֵּלֵךְ אַל־תַּעֲמֹד בְּדָבָר רָע כִּי כָּל־אֲשֶׁר יַחְפֹּץ יַעֲשֶׂה׃

4 בַּאֲשֶׁר דְּבַר־מֶלֶךְ שִׁלְטוֹן וּמִי יֹאמַר־לוֹ מַה־תַּעֲשֶׂה׃

5 שׁוֹמֵר מִצְוָה לֹא יֵדַע דָּבָר רָע וְעֵת וּמִשְׁפָּט יֵדַע לֵב חָכָם׃

6 כִּי לְכָל־חֵפֶץ יֵשׁ עֵת וּמִשְׁפָּט כִּי־רָעַת הָאָדָם רַבָּה עָלָיו׃

맛싸성경

1 누가 지혜 있는 자와 같으며 누가 사물의 설명(해석)을 아는가? 사람의 지혜는 그의 얼굴을 밝게 해주고 그의 얼굴의 굳어짐을 바꾼다. 2 내가 (말하니) 왕의 명령을 지켜라. 이는 하나님 (앞에서) 네가 맹세한 말들이기 때문이다. 3 그(왕)의 앞에서부터 네가 서둘러 가지 말고 악한 말(일)로 그 앞에 서지 마라. 이는 그(왕)가 좋아하는 모든 것을 그는 행하기 때문이다. 4 왕의 말에는 권력이 있으니 누가 "당신(왕)은 무엇을 하십니까?"라고 그에게 말할 수 있겠는가? 5 명령을 지키는 자는 불행한(재난의) 사건을 모르고 지혜로운 마음은 때와 판단을 안다. 6 이는 모든 목적(사건)에는 시간과 판단이 있기 때문이며 사람의 불행은 그 (사람) 위에 많이 있다는 것 때문이다.

NET

1 Who is a wise person? Who knows the solution to a problem? A person's wisdom brightens his appearance and softens his harsh countenance. 2 Obey the king's command, because you took an oath before God to be loyal to him. 3 Do not rush out of the king's presence in haste—do not delay when the matter is unpleasant, for he can do whatever he pleases. 4 Surely the king's authority is absolute; no one can say to him, "What are you doing?" 5 Whoever obeys his command will not experience harm, and a wise person knows the proper time and procedure. 6 For there is a proper time and procedure for every matter, for the oppression of the king is severe upon his victim.

8 WLC

7 כִּי־אֵינֶנּוּ יֹדֵעַ מַה־שֶּׁיִּהְיֶה כִּי כַּאֲשֶׁר יִהְיֶה מִי יַגִּיד לֽוֹ׃

8 אֵין אָדָם שַׁלִּיט בָּרוּחַ לִכְלוֹא אֶת־הָרוּחַ וְאֵין שִׁלְטוֹן בְּיוֹם הַמָּוֶת וְאֵין מִשְׁלַחַת בַּמִּלְחָמָה וְלֹא־יְמַלֵּט רֶשַׁע אֶת־בְּעָלָֽיו׃

9 אֶת־כָּל־זֶה רָאִיתִי וְנָתוֹן אֶת־לִבִּי לְכָל־מַעֲשֶׂה אֲשֶׁר נַעֲשָׂה תַּחַת הַשָּׁמֶשׁ עֵת אֲשֶׁר שָׁלַט הָאָדָם בְּאָדָם לְרַע לֽוֹ׃

맛싸성경

7 어떤 일이 생길지 그는 모르기 때문에 언제 어떤 것이 생길지 누가 그에게 말해줄 수 있는가? 8 어떤 사람도 영(바람)을 가두려고 영(바람)에 주관하는 사람은 없고 죽음의 날을 주관하는 자도 없으며 전쟁에서 면제되는(피할) 자도 없다. 사악함은 그의 주인(자신)을 구원하지 않을 것이다. 9 이 모든 것을 내가 보았고 태양 아래서 일어났던 모든 일에 내 마음을 두었으니 한 사람이 다른 사람에게 악행 하려고 권력을 주관하는 때가 있었다.

NET

7 Surely no one knows the future, and no one can tell another person what will happen. 8 Just as no one has power over the wind to restrain it, so no one has power over the day of his death. Just as no one can be discharged during the battle, so wickedness cannot rescue the wicked. 9 While applying my mind to everything that happens in this world, I have seen all this: Sometimes one person dominates other people to their harm.

8 WLC

10 וּבְכֵן רָאִיתִי רְשָׁעִים קְבֻרִים וָבָאוּ וּמִמְּקוֹם קָדוֹשׁ יְהַלֵּכוּ וְיִשְׁתַּכְּחוּ בָעִיר
אֲשֶׁר כֵּן־עָשׂוּ גַּם־זֶה הָבֶל׃

11 אֲשֶׁר אֵין־נַעֲשָׂה פִתְגָם מַעֲשֵׂה הָרָעָה מְהֵרָה עַל־כֵּן מָלֵא לֵב בְּנֵי־הָאָדָם
בָּהֶם לַעֲשׂוֹת רָע׃

12 אֲשֶׁר חֹטֶא עֹשֶׂה רָע מְאַת וּמַאֲרִיךְ לוֹ כִּי גַּם־יוֹדֵעַ אָנִי אֲשֶׁר יִהְיֶה־טּוֹב
לְיִרְאֵי הָאֱלֹהִים אֲשֶׁר יִירְאוּ מִלְּפָנָיו׃

맛싸성경

10 또 이같이 나는 범죄자들이 (무덤에) 묻힌 것을
보았는데 그들은 갔으며 또 거룩한 장소로 사라져 그
들은 도시에서 잊혀졌다. 이것도 또한 덧없다. 11 악
한 행위에 대한 판결이 신속하게 집행되지 않으므로
사람들의 아들들의 마음은 악을 행하려는 것으로 그
들 안에 가득 차 있다. 12 죄인이 악한 일을 100 번
이나 행하고도 그에게 (날이) 길어질 때도 하나님을
경외하는 자들 곧 그분 앞에서 경외하는 자들에게는
행복(좋은 것)이 있을 것을 나는 안다.

NET

10 Not only that, but I have seen the wicked
approaching and entering the temple, and as they
left the holy temple, they boasted in the city that
they had done so. This also is an enigma. 11 When
a sentence is not executed at once against a crime,
the human heart is encouraged to do evil. 12 Even
though a sinner might commit a hundred crimes
and still live a long time, yet I know that it will go
well with God-fearing people—for they stand in
fear before him.

8 WLC

13 וְטוֹב לֹא־יִהְיֶה לָרָשָׁע וְלֹא־יַאֲרִיךְ יָמִים כַּצֵּל אֲשֶׁר אֵינֶנּוּ יָרֵא מִלְּפְנֵי אֱלֹהִים:

14 יֶשׁ־הֶבֶל אֲשֶׁר נַעֲשָׂה עַל־הָאָרֶץ אֲשֶׁר ׀ יֵשׁ צַדִּיקִים אֲשֶׁר מַגִּיעַ אֲלֵהֶם כְּמַעֲשֵׂה הָרְשָׁעִים וְיֵשׁ רְשָׁעִים שֶׁמַּגִּיעַ אֲלֵהֶם כְּמַעֲשֵׂה הַצַּדִּיקִים אָמַרְתִּי שֶׁגַּם־זֶה הָבֶל:

맛싸성경

13 그러나 악인에게는 행복(좋은 것)이 없을 것이며 (그들의) 날들도 그림자같이 길어지지 않을 것이다. 왜냐하면 그들은 하나님 앞에서 경외함을 갖지 않기 때문이다. 14 땅에서 일어난 덧없는 것이 있으니 (곧) 범죄자들의 행위같이 그(들) 의인들에게 일어나는 일도 있으며 또 의인들의 행위같이 그(들) 악인들에게 일어나는 것도 있다. 이것도 또한 덧없다고 나는 말한다.

NET

13 But it will not go well with the wicked, nor will they prolong their days like a shadow, because they do not stand in fear before God. 14 Here is another enigma that occurs on earth: Sometimes there are righteous people who get what the wicked deserve, and sometimes there are wicked people who get what the righteous deserve. I said, "This also is an enigma."

8 WLC

15 וְשִׁבַּ֣חְתִּי אֲנִי֮ אֶת־הַשִּׂמְחָה֒ אֲשֶׁ֨ר אֵֽין־ט֤וֹב לָֽאָדָם֙ תַּ֣חַת הַשֶּׁ֔מֶשׁ כִּ֣י

אִם־לֶֽאֱכֹ֣ל וְלִשְׁתּ֣וֹת וְלִשְׂמ֑וֹחַ וְה֞וּא יִלְוֶ֣נּוּ בַעֲמָל֗וֹ יְמֵ֧י חַיָּ֛יו אֲשֶׁר־נָֽתַן־ל֥וֹ

הָאֱלֹהִ֖ים תַּ֥חַת הַשָּֽׁמֶשׁ׃

16 כַּאֲשֶׁ֨ר נָתַ֤תִּי אֶת־לִבִּי֙ לָדַ֣עַת חָכְמָ֔ה וְלִרְאוֹת֙ אֶת־הָ֣עִנְיָ֔ן אֲשֶׁ֥ר נַעֲשָׂ֖ה

עַל־הָאָ֑רֶץ כִּ֣י גַ֤ם בַּיּוֹם֙ וּבַלַּ֔יְלָה שֵׁנָ֕ה בְּעֵינָ֖יו אֵינֶ֥נּוּ רֹאֶֽה׃

17 וְרָאִיתִי֮ אֶת־כָּל־מַעֲשֵׂ֣ה הָאֱלֹהִים֒ כִּי֩ לֹ֨א יוּכַ֜ל הָאָדָ֗ם לִמְצוֹא֙

אֶת־הַֽמַּעֲשֶׂה֙ אֲשֶׁ֣ר נַעֲשָׂ֣ה תַֽחַת־הַשֶּׁ֔מֶשׁ בְּ֠שֶׁל אֲשֶׁ֨ר יַעֲמֹ֧ל הָאָדָ֛ם לְבַקֵּ֖שׁ

וְלֹ֣א יִמְצָ֑א וְגַ֨ם אִם־יֹאמַ֤ר הֶֽחָכָם֙ לָדַ֔עַת לֹ֥א יוּכַ֖ל לִמְצֹֽא׃

맛싸성경

15 그러므로 나는 기쁨으로 찬미하니 이는 태양 아래서 먹고 마시고 기뻐하는 것보다 사람에게는 행복(좋은 것)이 없기 때문이다. 태양 아래서 하나님께서 그에게 주신 생명의 날들 (동안에) 그의 수고로 그것은 그를 따를 것이기 때문이다. 16 나는 지혜를 알려고 하였고 땅 위에서 행하여진 일(업무)들을 (알아) 보려고 내 마음을 두었으니 -참으로 그(들)의 눈들로 낮에도 밤에도 잠을 자지 못한 것이라-. 17 그때 나는 하나님의 모든 행하심을 보았으니 사람은 태양 아래서 일어나는 일을 찾을 수 없다는 것이며 비록 사람이 찾으려고 수고한다 하더라도 그는 찾을 수 없다. 가령 지혜로운 자가 안다고 말하여도(주장하여도) 그는 그것을 찾을 수 없다.

NET

15 So I recommend the enjoyment of life, for there is nothing better on earth for a person to do except to eat, drink, and enjoy life. So joy will accompany him in his toil during the days of his life that God gives him on earth. 16 When I tried to gain wisdom and to observe the activity on earth—even though it prevents anyone from sleeping day or night— 17 then I discerned all that God has done: No one really comprehends what happens on earth. Despite all human efforts to discover it, no one can ever grasp it. Even if a wise person claimed that he understood, he would not really comprehend it.

וּ כִּי אֶת־כָּל־זֶה נָתַתִּי אֶל־לִבִּי וְלָבוּר אֶת־כָּל־זֶה אֲשֶׁר הַצַּדִּיקִים וְהַחֲכָמִים

וַעֲבָדֵיהֶם בְּיַד הָאֱלֹהִים גַּם־אַהֲבָה גַם־שִׂנְאָה אֵין יוֹדֵעַ הָאָדָם הַכֹּל

לִפְנֵיהֶם:

ַ הַכֹּל כַּאֲשֶׁר לַכֹּל מִקְרֶה אֶחָד לַצַּדִּיק וְלָרָשָׁע לַטּוֹב וְלַטָּהוֹר וְלַטָּמֵא

וְלַזֹּבֵחַ וְלַאֲשֶׁר אֵינֶנּוּ זֹבֵחַ כַּטּוֹב כַּחֹטֶא הַנִּשְׁבָּע כַּאֲשֶׁר שְׁבוּעָה יָרֵא:

ַ זֶה ׀ רָע בְּכֹל אֲשֶׁר־נַעֲשָׂה תַּחַת הַשֶּׁמֶשׁ כִּי־מִקְרֶה אֶחָד לַכֹּל וְגַם לֵב

בְּנֵי־הָאָדָם מָלֵא־רָע וְהוֹלֵלוֹת בִּלְבָבָם בְּחַיֵּיהֶם וְאַחֲרָיו אֶל־הַמֵּתִים:

맛싸성경

1 그러나 나는 이 모든 것을 내 마음에 두었고 나는 이 모든 것을 설명하려고 했으니 (곧) 의인들과 지혜자들과 그들의 일들은 하나님의 손안에 있다. 사람은 그들 앞에 있는 모든 것이 사랑인지 혹은 미움인지 모르는 것이다. 2 일어나는 모든 일은 하나같이 같은 것으로 의인이나 사악한 자나 선한 자나 정결한 자나 부정한 자나 희생을 드리는 자나 희생을 드리지 않는 자에게 (같을 것이다). 선한 자같이 죄인도 같고 맹세를 하는 자나 맹세하기를 두려워하는 자가 같다. 3 태양 아래서 일어나는 모든 것 중에 이것은 불행이니 이는 모든 자에게 하나(같이) 일어나기 때문이다. 사람의 아들의 마음이 사악으로 가득 차 있으며 그들이 사는 동안에 그들의 마음에는 미친 것들로 (있다가) 그 후에는 죽은 자들에게 (가는 것이다).

NET

1 So I reflected on all this, attempting to clear it all up. I concluded that the righteous and the wise, as well as their works, are in the hand of God; whether a person will be loved or hated—no one knows what lies ahead. 2 Everyone shares the same fate—the righteous and the wicked, the good and the bad, the ceremonially clean and unclean, those who offer sacrifices and those who do not. What happens to the good person, also happens to the sinner; what happens to those who make vows, also happens to those who are afraid to make vows. 3 This is the unfortunate fact about everything that happens on earth: The same fate awaits everyone. In addition to this, the hearts of all people are full of evil, and there is folly in their hearts during their lives—then they die.

9 WLC

4 כִּי־מִי אֲשֶׁר [יְבָחַר כ] (יְחֻבַּר ק) אֶל כָּל־הַחַיִּים יֵשׁ בִּטָּחוֹן כִּי־לְכֶלֶב חַי הוּא טוֹב מִן־הָאַרְיֵה הַמֵּת:

5 כִּי הַחַיִּים יוֹדְעִים שֶׁיָּמֻתוּ וְהַמֵּתִים אֵינָם יוֹדְעִים מְאוּמָה וְאֵין־עוֹד לָהֶם שָׂכָר כִּי נִשְׁכַּח זִכְרָם:

6 גַּם אַהֲבָתָם גַּם־שִׂנְאָתָם גַּם־קִנְאָתָם כְּבָר אָבָדָה וְחֵלֶק אֵין־לָהֶם עוֹד לְעוֹלָם בְּכֹל אֲשֶׁר־נַעֲשָׂה תַּחַת הַשָּׁמֶשׁ:

맛싸성경

4 그러나 살아있는 모든 자로 선택된 사람은 누구든지 소망이 있다. 이는 살아있는 개가 죽은 사자보다 더 낫기 때문이다. 5 살아있는 자들은 그들이 죽는다는 것을 안다. 그러나 죽은 자는 어떤 것도 알지 못하며 그들에게는 더 이상 보상도 없으니 이는 그들의 기억은 이미 잊히기 때문이다. 6 또한 그들의 사랑과 그들의 미움과 그들의 질투도 이미 없어졌다. 태양 아래서 일어나는 모든 것 중에서 그들에게는 더 이상 몫이 영원히 없다.

NET

4 But whoever is among the living has hope; a live dog is better than a dead lion. 5 For the living know that they will die, but the dead do not know anything; they have no further reward—and even the memory of them disappears. 6 What they loved, as well as what they hated and envied, perished long ago, and they no longer have a part in anything that happens on earth.

7 לֵךְ אֱכֹל בְּשִׂמְחָה לַחְמֶךָ וּֽשֲׁתֵה בְלֶב־טוֹב יֵינֶךָ כִּי כְבָר רָצָה הָאֱלֹהִים אֶֽת־מַעֲשֶֽׂיךָ׃

8 בְּכָל־עֵת יִהְיוּ בְגָדֶיךָ לְבָנִים וְשֶׁמֶן עַל־רֹאשְׁךָ אַל־יֶחְסָֽר׃

9 רְאֵה חַיִּים עִם־אִשָּׁה אֲשֶׁר־אָהַבְתָּ כָּל־יְמֵי חַיֵּי הֶבְלֶךָ אֲשֶׁר נָֽתַן־לְךָ תַּחַת הַשֶּׁמֶשׁ כֹּל יְמֵי הֶבְלֶךָ כִּי הוּא חֶלְקְךָ בַּֽחַיִּים וּבַעֲמָלְךָ אֲשֶׁר־אַתָּה עָמֵל תַּחַת הַשָּֽׁמֶשׁ׃

10 כֹּל אֲשֶׁר תִּמְצָא יָדְךָ לַעֲשׂוֹת בְּכֹחֲךָ עֲשֵׂה כִּי אֵין מַעֲשֶׂה וְחֶשְׁבּוֹן וְדַעַת וְחָכְמָה בִּשְׁאוֹל אֲשֶׁר אַתָּה הֹלֵךְ שָֽׁמָּה׃ ס

맛싸성경

7 가서 네 빵을 기쁨으로 먹고 네 포도주를 행복한 마음으로 마셔라. 이는 이미 하나님께서 너의 행위를 기뻐하시기 때문이다. **8** 네 옷들은 항상 희게 하며 네 머리 위에는 기름이 부족하게 하지 마라. **9** 네 덧없는 삶의 모든 날들 동안 곧 그분(하나님)께서 태양 아래서 네게 주신 네 덧없는 모든 날들 동안 너는 네가 사랑하는 아내와 함께 인생을 경험하라(누려라). 이는 그것이 너의 생명과 네가 태양 아래서 수고하는 네 수고에 있는 몫이라. **10** 너는 네 손이 할 (것을 위해 찾는) 모든 것을 네 힘으로 하여라. 이는 네가 갈 곳인 세올(음부)에는 일도 결과도 지식도 지혜도 없기 때문이다.

NET

7 Go, eat your food with joy, and drink your wine with a happy heart, because God has already approved your works. 8 Let your clothes always be white, and do not spare precious ointment on your head. 9 Enjoy life with your beloved wife during all the days of your fleeting life that God has given you on earth during all your fleeting days; for that is your reward in life and in your burdensome work on earth. 10 Whatever you find to do with your hands, do it with all your might, because there is neither work nor planning nor knowledge nor wisdom in the grave, the place where you will eventually go.

9 | WLC

11 שַׁבְתִּי וְרָאֹה תַחַת־הַשֶּׁמֶשׁ כִּי לֹא לַקַּלִּים הַמֵּרוֹץ וְלֹא לַגִּבּוֹרִים הַמִּלְחָמָה

וְגַם לֹא לַחֲכָמִים לֶחֶם וְגַם לֹא לַנְּבֹנִים עֹשֶׁר וְגַם לֹא לַיֹּדְעִים חֵן כִּי־עֵת

וָפֶגַע יִקְרֶה אֶת־כֻּלָּם׃

12 כִּי גַּם לֹא־יֵדַע הָאָדָם אֶת־עִתּוֹ כַּדָּגִים שֶׁנֶּאֱחָזִים בִּמְצוֹדָה רָעָה וְכַצִּפֳּרִים

הָאֲחֻזוֹת בַּפָּח כָּהֵם יוּקָשִׁים בְּנֵי הָאָדָם לְעֵת רָעָה כְּשֶׁתִּפּוֹל עֲלֵיהֶם

פִּתְאֹם׃

맛싸성경

11 나는 돌아와서 태양 아래에서 보니 달리기는 빠른 자에게만이 아니며 전쟁은 용사들에게만 아니며 또한 빵은 지혜로운 자들에게만 아니며 재산은 이해력 있는 자에게만 아니며 은혜는 아는 자들에게만 아니다. 이는 때와 기회는 그들 모두에게 일어나기 때문이다. 12 왜냐하면 사람은 또한 자기의 때를 모르니 마치 불행(하게) 그물에 걸린 물고기들같이 또 덫에 잡힌 새들 같기 때문이다. 사람의 아들들도 그들 위에 갑자기 일어나는 불행한(악한) 때 그것들같이 덫에 (사로) 잡힌다.

NET

11 Again, I observed this on the earth: The race is not always won by the swiftest, the battle is not always won by the strongest; prosperity does not always belong to those who are the wisest; wealth does not always belong to those who are the most discerning, nor does success always come to those with the most knowledge— for time and chance may overcome them all. 12 Surely, no one knows his appointed time. Like fish that are caught in a deadly net and like birds that are caught in a snare— just like them, all people are ensnared at an unfortunate time that falls upon them suddenly.

9 WLC

13 גַּם־זֹה רָאִיתִי חָכְמָה תַּחַת הַשָּׁמֶשׁ וּגְדוֹלָה הִיא אֵלָי׃

14 עִיר קְטַנָּה וַאֲנָשִׁים בָּהּ מְעָט וּבָא־אֵלֶיהָ מֶלֶךְ גָּדוֹל וְסָבַב אֹתָהּ וּבָנָה עָלֶיהָ מְצוֹדִים גְּדֹלִים׃

15 וּמָצָא בָהּ אִישׁ מִסְכֵּן חָכָם וּמִלַּט־הוּא אֶת־הָעִיר בְּחָכְמָתוֹ וְאָדָם לֹא זָכַר אֶת־הָאִישׁ הַמִּסְכֵּן הַהוּא׃

16 וְאָמַרְתִּי אָנִי טוֹבָה חָכְמָה מִגְּבוּרָה וְחָכְמַת הַמִּסְכֵּן בְּזוּיָה וּדְבָרָיו אֵינָם נִשְׁמָעִים׃

17 דִּבְרֵי חֲכָמִים בְּנַחַת נִשְׁמָעִים מִזַּעֲקַת מוֹשֵׁל בַּכְּסִילִים׃

18 טוֹבָה חָכְמָה מִכְּלֵי קְרָב וְחוֹטֶא אֶחָד יְאַבֵּד טוֹבָה הַרְבֵּה׃

맛싸성경

13 내가 또한 태양 아래서 지혜를 보았으니 그것은 내게 너무 거대하였다. 14 작은 도시가 있었고 그 안에는 적은 수의 사람들이 있었다. 위대한 왕이 그곳에 와서 그곳을 포위하고 그곳에 거대한 포위 담을 쌓았다. 15 그러나 그곳에는 가난하고 지혜로운 사람이 있어서 그가 그 도시를 그의 지혜로 구출했다. 그러나 사람(들)은 그 가난한 사람을 기억하지 않았다. 16 그러나 나는 말했다. 지혜는 힘보다 낫지만 가난한 자의 지혜는 멸시를 당하고 그의 말들은 들려지지 않는다. 17 조용한 지혜로운 자들의 말들이 우둔한 자들 중에 있는 통치자의 부르짖음보다 더 잘 들려진다(낫다). 18 지혜는 전쟁의 무기들보다 나으나 한 사람의 죄인이 많은 선을 파괴한다.

NET

13 This is what I also observed about wisdom on earth, and it is a great burden to me: 14 There was once a small city with a few men in it, and a mighty king attacked it, besieging it and building strong siege works against it. 15 However, a poor but wise man lived in the city, and he could have delivered the city by his wisdom, but no one listened to that poor man. 16 So I concluded that wisdom is better than might, but a poor man's wisdom is despised; no one ever listens to his advice. 17 The words of the wise are heard in quiet, more than the shouting of a ruler is heard among fools. 18 Wisdom is better than weapons of war, but one sinner can destroy much that is good.

1 זְבוּבֵי מָ֫וֶת יַבְאִישׁ יַבִּיעַ שֶׁ֣מֶן רוֹקֵ֑חַ יָקָ֛ר מֵחָכְמָ֥ה מִכָּב֖וֹד סִכְל֥וּת מְעָֽט׃

2 לֵ֤ב חָכָם֙ לִֽימִינ֔וֹ וְלֵ֥ב כְּסִ֖יל לִשְׂמֹאלֽוֹ׃

3 וְגַם־בַּדֶּ֛רֶךְ [כְּשֶׁהַסָּכָל כ] (כְּשֶׁסָּכָ֥ל ק) הֹלֵ֖ךְ לִבּ֣וֹ חָסֵ֑ר וְאָמַ֥ר לַכֹּ֖ל סָכָ֥ל הֽוּא׃

4 אִם־ר֤וּחַ הַמּוֹשֵׁל֙ תַּעֲלֶ֣ה עָלֶ֔יךָ מְקוֹמְךָ֖ אַל־תַּנַּ֑ח כִּ֣י מַרְפֵּ֔א יַנִּ֖יחַ חֲטָאִ֥ים גְּדוֹלִֽים׃

5 יֵ֣שׁ רָעָ֔ה רָאִ֖יתִי תַּ֣חַת הַשָּׁ֑מֶשׁ כִּשְׁגָגָ֕ה שֶׁיֹּצָ֖א מִלִּפְנֵ֥י הַשַּׁלִּֽיט׃

6 נִתַּ֣ן הַסֶּ֔כֶל בַּמְּרוֹמִ֖ים רַבִּ֑ים וַעֲשִׁירִ֖ים בַּשֵּׁ֥פֶל יֵשֵֽׁבוּ׃

7 רָאִ֥יתִי עֲבָדִ֖ים עַל־סוּסִ֑ים וְשָׂרִ֛ים הֹלְכִ֥ים כַּעֲבָדִ֖ים עַל־הָאָֽרֶץ׃

맛싸성경

1 죽은 파리들이 발효한 섞은 (향수)기름에 악취가 나게 하듯이 약간의 어리석음도 소중한 지혜와 명예에도 그러하다. 2 지혜자의 마음은 그의 오른 편에 있으나 우둔한 자의 마음은 그의 왼편에 있다. 3 또한 어리석은 자가 그의 길을 걸을 때 자기 생각이 부족하니(모자라니) 그는 모든 사람에게 자기는 어리석은 자라고 말한다. 4 만일 통치자의 화가 너에 대해서 올라오면 너는 너의 자리를 떠나지 마라. 이는 침착함이 큰 죄들을 짓지 않게 하기 때문이다. 5 태양 아래서 내가 보니 불행이 있다. 그것은 주권자의 앞에서부터 나오는 실수 같은 것인데 6 그가 어리석은 자를 많이 높은 자리로 주고 부자를 낮은 자리에 앉히는 것이다. 7 나는 종들은 말들 위에 타고 통치자들은 종들같이 땅 위에서 걸어가는 것을 보았다.

NET

1 One dead fly makes the perfumer's ointment give off a rancid stench, so a little folly can outweigh much wisdom. 2 A wise person's good sense protects him, but a fool's lack of sense leaves him vulnerable. 3 Even when a fool walks along the road he lacks sense and shows everyone what a fool he is. 4 If the anger of the ruler flares up against you, do not resign from your position, for a calm response can undo great offenses. 5 I have seen another misfortune on the earth: It is an error a ruler makes. 6 Fools are placed in many positions of authority, while wealthy men sit in lowly positions. 7 I have seen slaves on horseback and princes walking on foot like slaves.

10 | WLC

8 חֹפֵר גּוּמָץ בֹּו יִפֹּול וּפֹרֵץ גָּדֵר יִשְּׁכֶנּוּ נָחָשׁ׃

9 מַסִּיעַ אֲבָנִים יֵעָצֵב בָּהֶם בֹּוקֵעַ עֵצִים יִסָּכֶן בָּם׃

10 אִם־קֵהָה הַבַּרְזֶל וְהוּא לֹא־פָנִים קִלְקַל וַחֲיָלִים יְגַבֵּר וְיִתְרֹון

[הכשיר כ] (הַכְשֵׁר ק) חָכְמָה׃

11 אִם־יִשֹּׁךְ הַנָּחָשׁ בְּלֹוא־לָחַשׁ וְאֵין יִתְרֹון לְבַעַל הַלָּשֹׁון׃

맛싸성경

8 구덩이(함정)를 파는 자는 그가 거기에 빠질 수 있고 담을 허무는 자에게 뱀이 그를 물 수가 있다. 9 돌들을 떠내는(치우는) 자는 그것들로 다칠 수 있고 나무들을 쪼개는 자는 그것들로 위험에 빠질 수 있다. 10 만일 철 연장이 무뎌졌는데 그가 날들을 갈지 않으면 그는 힘을 써야 한다. 지혜는 (좋은) 성과를 위해 적절히 사용해야 한다. 11 만일 뱀에게 주술 할 때 뱀이 문다면 주술 하는 자는 성과가 없는 것이다.

NET

8 One who digs a pit may fall into it, and one who breaks through a wall may be bitten by a snake. 9 One who quarries stones may be injured by them; one who splits logs may be endangered by them. 10 If an iron axhead is blunt and a workman does not sharpen its edge, he must exert a great deal of effort; so wisdom has the advantage of giving success. 11 If the snake should bite before it is charmed, the snake charmer is in trouble.

10 WLC

12 דִּבְרֵי פִי־חָכָם חֵן וְשִׂפְתוֹת כְּסִיל תְּבַלְּעֶנּוּ׃

13 תְּחִלַּת דִּבְרֵי־פִיהוּ סִכְלוּת וְאַחֲרִית פִּיהוּ הוֹלֵלוּת רָעָה׃

14 וְהַסָּכָל יַרְבֶּה דְבָרִים לֹא־יֵדַע הָאָדָם מַה־שֶׁיִּהְיֶה וַאֲשֶׁר יִהְיֶה מֵאַחֲרָיו מִי יַגִּיד לוֹ׃

15 עֲמַל הַכְּסִילִים תְּיַגְּעֶנּוּ אֲשֶׁר לֹא־יָדַע לָלֶכֶת אֶל־עִיר׃

맛싸성경

12 지혜로운 자의 입의 말들은 은혜로우나 우둔한 자의 입술들은 자신을 삼켜버리니 13 그의 입의 말들의 시작은 어리석음이고 그의 입의 마지막은 사악하게 미친 것이다. 14 어리석은 자는 말들을 많이 한다. 그 사람은 어떤 일이 일어날지 알지 못하니 누가 그의 뒤에 일어날 것을 그에게 말하겠는가? 15 우둔한 자들의 수고는 자신들을 피곤하게 만드니 그가 도시로 가는 (길)도 모르기 때문이다.

NET

12 The words of a wise person win him favor, but the words of a fool are self-destructive. 13 At the beginning his words are foolish and at the end his talk is wicked madness, 14 yet a fool keeps on babbling. No one knows what will happen; who can tell him what will happen in the future? 15 The toil of a stupid fool wears him out, because he does not even know the way to the city.

16 אִי־לָ֣ךְ אֶ֔רֶץ שֶׁמַּלְכֵּ֖ךְ נָ֑עַר וְשָׂרַ֖יִךְ בַּבֹּ֥קֶר יֹאכֵֽלוּ׃

17 אַשְׁרֵ֣יךְ אֶ֔רֶץ שֶׁמַּלְכֵּ֖ךְ בֶּן־חוֹרִ֑ים וְשָׂרַ֙יִךְ֙ בָּעֵ֣ת יֹאכֵ֔לוּ בִּגְבוּרָ֖ה וְלֹ֥א בַשְּׁתִֽי׃

18 בַּעֲצַלְתַּ֖יִם יִמַּ֣ךְ הַמְּקָרֶ֑ה וּבְשִׁפְל֥וּת יָדַ֖יִם יִדְלֹ֥ף הַבָּֽיִת׃

19 לִשְׂחוֹק֙ עֹשִׂ֣ים לֶ֔חֶם וְיַ֖יִן יְשַׂמַּ֣ח חַיִּ֑ים וְהַכֶּ֖סֶף יַעֲנֶ֥ה אֶת־הַכֹּֽל׃

20 גַּ֣ם בְּמַדָּֽעֲךָ֗ מֶ֚לֶךְ אַל־תְּקַלֵּ֔ל וּבְחַדְרֵי֙ מִשְׁכָּ֣בְךָ֔ אַל־תְּקַלֵּ֖ל עָשִׁ֑יר כִּ֣י ע֤וֹף הַשָּׁמַ֙יִם֙ יוֹלִ֣יךְ אֶת־הַקּ֔וֹל וּבַ֥עַל [הַכְּנָפַ֖יִם כ] (כְּנָפַ֖יִם ק) יַגֵּ֥יד דָּבָֽר׃

맛싸성경

16 너게 화 있도다. 땅(나라)이여. 너의 왕은 소년이고 너의 통치자들은 아침부터 (잔치하여) 먹는도다. 17 너게 복이 있도다. 땅(나라)이여. 너의 왕은 귀족들의 아들이고 네 통치자들은 힘을 위해서 제때 먹으며 잔치하지 않는도다. 18 나태함으로 들보는 내려앉으며 손들이 아무것도 안 하면 그 집은 물이 샌다. 19 빵(잔치)은 웃음을 위하여 준비되어졌고 포도주는 삶(인생)을 기쁘게 한다. 돈은 모든 것(의 요구)에 답한다. 20 너의 생각으로도 왕을 저주하지 말고 너의 침실의 방들에서라도 부유한 자를 저주하지 마라. 이는 하늘(들)의 새가 그 소리를 전달하고 날개들의 주인(날짐승)이 그 말을 말할(전할) 수 있기 때문이다.

NET

16 Woe to you, O land, when your king is childish and your princes feast in the morning. 17 Blessed are you, O land, when your king is the son of nobility, and your princes feast at the proper time—with self-control and not in drunkenness. 18 Because of laziness the roof caves in, and because of idle hands the house leaks. 19 Feasts are made for laughter, and wine makes life merry, but money is the answer for everything. 20 Do not curse a king even in your thoughts, and do not curse the rich while in your bedroom; for a bird might report what you are thinking, or some winged creature might repeat your words.

11 WLC

1 שַׁלַּ֥ח לַחְמְךָ֖ עַל־פְּנֵ֣י הַמָּ֑יִם כִּֽי־בְרֹ֥ב הַיָּמִ֖ים תִּמְצָאֶֽנּוּ׃

2 תֶּן־חֵ֥לֶק לְשִׁבְעָ֖ה וְגַ֣ם לִשְׁמוֹנָ֑ה כִּ֚י לֹ֣א תֵדַ֔ע מַה־יִּהְיֶ֥ה רָעָ֖ה עַל־הָאָֽרֶץ׃

3 אִם־יִמָּלְא֨וּ הֶעָבִ֥ים גֶּ֙שֶׁם֙ עַל־הָאָ֣רֶץ יָרִ֔יקוּ וְאִם־יִפּ֥וֹל עֵ֛ץ בַּדָּר֖וֹם וְאִ֣ם בַּצָּפ֑וֹן מְק֛וֹם שֶׁיִּפּ֥וֹל הָעֵ֖ץ שָׁ֥ם יְהֽוּא׃

4 שֹׁמֵ֥ר ר֖וּחַ לֹ֣א יִזְרָ֑ע וְרֹאֶ֥ה בֶעָבִ֖ים לֹ֥א יִקְצֽוֹר׃

5 כַּאֲשֶׁ֨ר אֵֽינְךָ֤ יוֹדֵעַ֙ מַה־דֶּ֣רֶךְ הָר֔וּחַ כַּעֲצָמִ֖ים בְּבֶ֣טֶן הַמְּלֵאָ֑ה כָּ֗כָה לֹ֤א תֵדַע֙ אֶת־מַעֲשֵׂ֣ה הָֽאֱלֹהִ֔ים אֲשֶׁ֥ר יַעֲשֶׂ֖ה אֶת־הַכֹּֽל׃

6 בַּבֹּ֙קֶר֙ זְרַ֣ע אֶת־זַרְעֶ֔ךָ וְלָעֶ֖רֶב אַל־תַּנַּ֣ח יָדֶ֑ךָ כִּי֩ אֵֽינְךָ֨ יוֹדֵ֜ע אֵ֣י זֶ֤ה יִכְשָׁר֙ הֲזֶ֣ה אוֹ־זֶ֔ה וְאִם־שְׁנֵיהֶ֥ם כְּאֶחָ֖ד טוֹבִֽים׃

맛싸성경

1 네 빵을 물 위로 던져라. 이는 많은 날들 (후에) 네가 그것을 찾을 것이기 때문이다. 2 (네) 몫을 일곱(사람)이나 여덟에게도 주어라. 왜냐하면 너는 땅 위에서 어떤 불행이 일어날지 모르기 때문이다. 3 만일 비 구름(들)이 가득 차면 땅에 그것(구름)들은 쏟아지며 만일 나무가 남쪽이나 혹은 북쪽으로 쓰러지면 나무가 쓰러지는 그 장소에 그것(재앙)은 거기에 있을 것이다. 4 바람을 지켜보는 자는 씨를 심지 않을 것이며 구름(들)을 살펴보는 자는 거두지 못할 것이다. 5 바람의 길이 어떠한지 네가 알지 못함 같이 임신한 (또) 여자의 태 안에서 뼈들이 어떻게 채워지는 지 (알지 못함같이) 그렇게 너는 모든 것을 만드신 하나님의 일을 알지 못한다. 6 아침에 너는 네 씨를 심고 저녁에 네 손이 쉬지 말게 하라. 이는 이것 혹은 저것 어느 것이 잘 될지 혹은 둘 다 하나같이 잘 될지 너는 알지 못하기 때문이다.

NET

1 Send your grain overseas, for after many days you will get a return. 2 Divide your merchandise among seven or even eight investments, for you do not know what calamity may happen on earth. 3 If the clouds are full of rain, they will empty themselves on the earth, and whether a tree falls to the south or to the north, the tree will lie wherever it falls. 4 He who watches the wind will not sow, and he who observes the clouds will not reap. 5 Just as you do not know the path of the wind or how the bones form in the womb of a pregnant woman, so you do not know the work of God who makes everything. 6 Sow your seed in the morning, and do not stop working until the evening; for you do not know which activity will succeed—whether this one or that one, or whether both will prosper equally.

11 WLC

וּמָת֥וֹק הָא֖וֹר וְט֣וֹב לַֽעֵינַ֑יִם לִרְא֖וֹת אֶת־הַשָּֽׁמֶשׁ׃ 7

כִּ֣י אִם־שָׁנִ֥ים הַרְבֵּ֛ה יִֽחְיֶ֥ה הָאָדָ֖ם בְּכֻלָּ֣ם יִשְׂמָ֑ח וְיִזְכֹּר֙ אֶת־יְמֵ֣י הַחֹ֔שֶׁךְ כִּֽי־ 8

הַרְבֵּ֥ה יִהְי֖וּ כָּל־שֶׁבָּ֥א הָֽבֶל׃

שְׂמַ֧ח בָּח֣וּר בְּיַלְדוּתֶ֗יךָ וִֽיטִֽיבְךָ֤ לִבְּךָ֙ בִּימֵ֣י בְחוּרוֹתֶ֔ךָ וְהַלֵּךְ֙ בְּדַרְכֵ֣י לִבְּךָ֔ 9

וּבְמַרְאֵ֖י עֵינֶ֑יךָ וְדָ֕ע כִּ֧י עַל־כָּל־אֵ֛לֶּה יְבִֽיאֲךָ֥ הָאֱלֹהִ֖ים בַּמִּשְׁפָּֽט׃

וְהָסֵ֥ר כַּ֨עַס֙ מִלִּבֶּ֔ךָ וְהַעֲבֵ֥ר רָעָ֖ה מִבְּשָׂרֶ֑ךָ כִּֽי־הַיַּלְד֥וּת וְהַֽשַּׁחֲר֖וּת הָֽבֶל׃ 10

맛싸성경

7 빛은 유쾌한 것이며 눈(들)으로 태양을 보는 것은 좋다. 8 그래서 만약 사람이 많은 연수를 산다면 그는 그 모든 것에서 즐거워해야 한다. 그러나 그는 어둠의 날들을 기억하여야 하리니 이는 그날들이 많으며 다가오는 모든 것은 덧없기 때문이다. 9 젊은이여 네 어린 시절을 즐거워하고 너의 젊은 시절의 날들에서 네 마음을 행복하게 하여 너의 마음의 길들과 네 눈들의 보는 것으로 가라(행하라). 그렇지만 하나님께서 이 모든 것으로 인하여 너를 심판으로 가져간다는 것을 알아라. 10 너는 네 마음에서부터 고통(근심)을 없애고 네 육체로부터 걱정을 제거하라. 이는 젊음과 생기(청년)의 때가 덧없기 때문이다.

NET

7 Light is sweet, and it is pleasant for a person to see the sun. 8 So, if a man lives many years, let him rejoice in them all, but let him remember that the days of darkness will be many—all that is about to come is obscure. 9 Rejoice, young man, while you are young, and let your heart cheer you in the days of your youth. Follow the impulses of your heart and the desires of your eyes, but know that God will judge your motives and actions. 10 Banish emotional stress from your mind and put away pain from your body; for youth and the prime of life are fleeting.

12 WLC

1 וּזְכֹר אֶת־בּוֹרְאֶיךָ בִּימֵי בְּחוּרֹתֶיךָ עַד אֲשֶׁר לֹא־יָבֹאוּ יְמֵי הָרָעָה וְהִגִּיעוּ שָׁנִים אֲשֶׁר תֹּאמַר אֵין־לִי בָהֶם חֵפֶץ׃

2 עַד אֲשֶׁר לֹא־תֶחְשַׁךְ הַשֶּׁמֶשׁ וְהָאוֹר וְהַיָּרֵחַ וְהַכּוֹכָבִים וְשָׁבוּ הֶעָבִים אַחַר הַגָּשֶׁם׃

3 בַּיּוֹם שֶׁיָּזֻעוּ שֹׁמְרֵי הַבַּיִת וְהִתְעַוְּתוּ אַנְשֵׁי הֶחָיִל וּבָטְלוּ הַטֹּחֲנוֹת כִּי מִעֵטוּ וְחָשְׁכוּ הָרֹאוֹת בָּאֲרֻבּוֹת׃

4 וְסֻגְּרוּ דְלָתַיִם בַּשּׁוּק בִּשְׁפַל קוֹל הַטַּחֲנָה וְיָקוּם לְקוֹל הַצִּפּוֹר וְיִשַּׁחוּ כָּל־בְּנוֹת הַשִּׁיר׃

5 גַּם מִגָּבֹהַּ יִרָאוּ וְחַתְחַתִּים בַּדֶּרֶךְ וְיָנֵאץ הַשָּׁקֵד וְיִסְתַּבֵּל הֶחָגָב וְתָפֵר הָאֲבִיּוֹנָה כִּי־הֹלֵךְ הָאָדָם אֶל־בֵּית עוֹלָמוֹ וְסָבְבוּ בַשּׁוּק הַסֹּפְדִים׃

맛싸성경

1 너는 너의 젊음의 시절의 날들에 너를 창조하신 분을 기억하라. 불행한 날들이 오기 전에 "그것들에서 내게는 즐거움이 없다"고 하는 연수들이 다가오기 전에 2 태양과 빛과 달과 별들이 어두워지기 전에 그리고 비 후에 구름들이 (다시) 돌아오기 전에 (그리하라). 3 집을 지키는 자들이 떠는 그날에 또 힘 있는 사람들은 꾸부정하며 또 수가 적음으로 어금니들이(맷돌질하는 자들이) 작동을 멈추고 또 창문으로 보이는 것들이 침침해지고 4 또 길거리에서 문들이 닫히고 맷돌 가는 소리가 적어(낮아)지며 또 새들의 소리로 인해서 그가 일어나고 또 노래하는 모든 딸 (목소리)가 잘 나오지 않으며 5 또한 그들은 높은 곳을 두려워하고 또 길에서 (그에게는) 위험들이 있으며 또 아몬드는 꽃을 피울 것이고 또 메뚜기(엉덩이)도 무거워지며(짐이 되며) 또 아비요나(정력제 열매)도 효력이 없을 것이니 사람이 자기의 영원한 집으로 가기 때문이며 또 애도하는 자들이 길거리에서 (장례식을 위해) 둘러설 것이다.

NET

1 So remember your Creator in the days of your youth—before the difficult days come and the years draw near when you will say, "I have no pleasure in them"; 2 before the sun and the light of the moon and the stars grow dark, and the clouds disappear after the rain; 3 when those who keep watch over the house begin to tremble, and the virile men begin to stoop over, and the grinders begin to cease because they grow few, and those who look through the windows grow dim, 4 and the doors along the street are shut; when the sound of the grinding mill grows low, and one is awakened by the sound of a bird, and all their songs grow faint, 5 and they are afraid of heights and the dangers in the street; the almond blossoms grow white, and the grasshopper drags itself along, and the caper berry shrivels up—because man goes to his eternal home, and the mourners go about in the streets—

12 WLC

6 עַד אֲשֶׁר לֹא־[יְרָחֵק כ] (יֵרָתֵק ק) חֶבֶל הַכֶּסֶף וְתָרֻץ גֻּלַּת הַזָּהָב וְתִשָּׁבֶר כַּד עַל־הַמַּבּוּעַ וְנָרֹץ הַגַּלְגַּל אֶל־הַבּוֹר:

7 וְיָשֹׁב הֶעָפָר עַל־הָאָרֶץ כְּשֶׁהָיָה וְהָרוּחַ תָּשׁוּב אֶל־הָאֱלֹהִים אֲשֶׁר נְתָנָהּ:

8 הֲבֵל הֲבָלִים אָמַר הַקּוֹהֶלֶת הַכֹּל הָבֶל:

9 וְיֹתֵר שֶׁהָיָה קֹהֶלֶת חָכָם עוֹד לִמַּד־דַּעַת אֶת־הָעָם וְאִזֵּן וְחִקֵּר תִּקֵּן מְשָׁלִים הַרְבֵּה:

10 בִּקֵּשׁ קֹהֶלֶת לִמְצֹא דִּבְרֵי־חֵפֶץ וְכָתוּב יֹשֶׁר דִּבְרֵי אֱמֶת:

11 דִּבְרֵי חֲכָמִים כַּדָּרְבֹנוֹת וּכְמַשְׂמְרוֹת נְטוּעִים בַּעֲלֵי אֲסֻפּוֹת נִתְּנוּ מֵרֹעֶה אֶחָד:

맛싸성경

6 은 줄이 연결되지 않거나 금 대접이 깨지거나 물동이가 샘에서 부서지거나 물 저장고에 두레박틀이 박살 나기 전에 7 그리고 흙이 자기가 있었던 그대로 땅으로 돌아가며 그 영이 그것을 주신 하나님에게로 돌아가기 전에 (그리하라). 8 덧없는 것들 (중)의 덧없는 것이다. 전도자는 말한다. 모든 것이 덧없다. 9 전도자는 지혜자가 된 것에 더하여 또한 백성들에게 지식을 가르쳤고 귀를 기울였고(주의하며) 연구하여 많은 잠언들을 저술했다. 10 전도자는 기쁘게 하는 말들을 조사하였는데 올바르게 기록된 것들은 진리의 말씀들이다. 11 지혜로운 자들의 말들은 (짐승을 모는) 막대기들과 같고 모아진 주체들은 잘 박힌 못들과 같으니 그것들은 한 목자로부터 주어진 것들이다.

NET

6 before the silver cord is removed, or the golden bowl is broken, or the pitcher is shattered at the well, or the water wheel is broken at the cistern— 7 and the dust returns to the earth as it was, and the life's breath returns to God who gave it. 8 "Absolutely futile!" laments the Teacher, "All these things are futile!" 9 Not only was the Teacher wise, but he also taught knowledge to the people; he carefully evaluated and arranged many proverbs. 10 The Teacher sought to find delightful words and to write accurately truthful sayings. 11 The words of the sages are like prods, and the collected sayings are like firmly fixed nails; they are given by one shepherd.

12 WLC

12 וְיֹתֵ֥ר מֵהֵ֖מָּה בְּנִ֣י הִזָּהֵ֑ר עֲשׂ֨וֹת סְפָרִ֤ים הַרְבֵּה֙ אֵ֣ין קֵ֔ץ וְלַ֥הַג הַרְבֵּ֖ה יְגִעַ֥ת בָּשָֽׂר׃

13 סֽוֹף דָּבָ֖ר הַכֹּ֣ל נִשְׁמָ֑ע אֶת־הָאֱלֹהִ֤ים יְרָא֙ וְאֶת־מִצְוֺתָ֣יו שְׁמ֔וֹר כִּי־זֶ֖ה כָּל־הָאָדָֽם׃

14 כִּ֤י אֶת־כָּל־מַעֲשֶׂ֔ה הָאֱלֹהִ֛ים יָבִ֥א בְמִשְׁפָּ֖ט עַ֣ל כָּל־נֶעְלָ֑ם אִם־ט֖וֹב וְאִם־רָֽע׃

맛싸성경

12 이것들에 더하여 내 아들아, (다음의 말에) 경고를 받아라. 책을 많이 만드는 것은 끝이 없고 많이 공부하는 것은 육체를 피곤하게 한다. 13 들어본 모든 말의 결론이다. 하나님을 경외하고 그분의 명령(들)을 지켜라. 이것이 인간의 모든 것이다. 14 이는 하나님이 모든 행위를 심판으로 가져가실 것이니 그것이 선하든지 악하든지 숨겨진 모든 것들에 대한 것이라.

NET

12 Be warned, my son, of anything in addition to them. There is no end to the making of many books, and much study is exhausting to the body. 13 Having heard everything, I have reached this conclusion: Fear God and keep his commandments, because this is the whole duty of man. 14 For God will evaluate every deed, including every secret thing, whether good or evil.

목회자를 위한 **설교학 석,박사 통합 과정** 소개

1. 수업 진행

1) 월간 맛싸 31-33호를 듣기
2) 각권에 따라 원하는 본문을 원문에 근거하여 설교문을 작성하고 먼저 제출하기
3) 먼저 제출된 설교문을 컨설팅하고 완성된 설교문으로 설교하는 동영상(30분)을 촬영하여 제출하기

2. 수강 과목

1) 월간 맛싸 31호 13학점
   (1) 요나(1-9회차) 2학점 - 설교 2편 작성 제출
   (2) 요엘(10-21회차) 2학점 - 설교 2편 작성 제출
   (3) 학개(22-28회차) 2학점 - 설교 2편 작성 제출
   (4) 말라기(29-38회차) 2학점 - 설교 2편 작성 제출
   (5) 오바댜(39-41회차) 1학점 - 설교 1편 작성 제출
   (6) 하박국(42-51회차) 2학점 - 설교 2편 작성 제출
   (7) 스바냐(52-61회차) 2학점 - 설교 2편 작성 제출

2) 맛싸 32호 13학점
   (1) 시편 119편(1-22회차) 2학점 - 설교 2편 작성 제출
   (2) 시편 120-134편(올라가는 노래)(23-38회차) 6학점 - 설교 6편 작성 제출
   (3) 시편 135-150편(39-61회차) 5학점 - 설교 5편 작성 제출

3) 맛싸 33호 13학점
   (1) 룻기 (1-13회) 3학점 - 설교 3편 작성 제출
   (2) 에스더 (14-48회) 3학점 - 설교 3편 작성 제출
   (3) 시편 101-106편(49-62회) 3학점 - 설교 3편 작성 제출
   (4) 신약 자유 본문(월간맛싸QT 내용중) 4학점 - 설교 4편 작성 제출

4) 논문 6학점 혹은 신약 자유 본문 6학점
   (1) 논문 작성시 - 6학점
   (2) 신약 자유 본문(월간맛싸QT 내용중) 6학점 - 설교 6편 작성 제출

3. 학비

2023년 가을학기 (8/28-12/9일까지 15주)
입학자격-학사 및 목회학 석사(Mdiv) 이상 졸업자(M.A 졸업자는 가능)
신학 석사(ThM) 45학점; 박사(DTh) 54학점; 석박사 통합 39+54=93학점
한학기 15학점; 석사 190만원; 박사 286만원
이번학기 송금처 언약성경연구소(Covenant Bible Institution)
농협 355-4696-1189-93 공식구좌

성경 원문을 공부해서 자격증 혹은 정식 학위도 받을 수 있는 기회

Covenant University -http://covenantunversity.us

카버넌트 대학은 미국 캘리포니아의 대학교로 학사, 석사, 박사 학위를 수여할 수 있는 학교입니다. 국제기독대학 협의회 즉 사립 종교대학 공인 기관(ACSI, Num. 107355)이며 또한 통신으로도 공부를 할 수 있는 미국통신고등교육연합협의회(USDLA) 정식 멤버의 학교입니다. 또한 캘리포니아 주 교육국 코드(CEC 4739b 6)및 학교인가번호 1924981과 연방등록번호 33-081445에 따라 설립된 기독교 대학입니다. 장점은 한국에서 자신의 생활을 하면서 통신으로 공부와 과정을 다 마칠 수 있는 것이 장점입니다. 참고로 이 대학은 Stanton University 캠퍼스 대학교(WASC)와 같은 재단에서 운영하는 대학이기도 합니다. 그리고 한국의 월간 맛싸-언약성경협회, 연구소와 MOU를 맺어서 성경원문으로 학위를 주는 과정입니다. 원문성경으로만 공부하는 것은 세계최초의 일입니다. (그럼에도 혹 ATS, AHBC, TRACS등의 자격을 필요로 하는 분들은 미국 현지에 유학 가서 거주하면서 공부하는 코스로 하시기 바랍니다.)

월간 맛싸(원문성경 전문지)와 연계한 학위과정

31호-13학점; 32호 14학점; 33호 13학점; 34호 12학점-현재까지 52학점 개설
(선지서; 시가서; 역사서; 신약-바울서신)

2023년 가을학기 (8/28-12/9일까지 15주)
입학자격-학사이상 국제 정식학위 소지자
신학 석사(ThM) 45학점; 박사(DTh) 54학점; 석박사 통합 39+54=93학점
한학기 15학점; 석사 190만원; 박사 286만원
이번 학기 송금처 언약성경연구소(Covenant Bible Institution)
농협 355-4696-1189-93

4주완성 왕초보 히브리어 성경읽기 시리즈 (총4권)

허동보 목사의 『왕초보 히브리어 펜습자』가 업그레이드 되었습니다.

누구든 한 달만에 히브리어 성경을 읽을 수 있도록 만들어 주는 "왕초보 히브리어 성경읽기 강좌"의 교재가 업그레이드 되었습니다. 부족하나마 지난 『왕초보 히브리어 펜습자』만으로도 많은 분들이 실제로 한 달 만에 히브리어 성경을 읽을 수 있었습니다. 그러나 이에 만족하지 않고 수강생들이 더욱 효과적으로 공부할 수 있도록 다양한 각도에서 연구하고 더 많은 내용을 보강하여 『4주완성 왕초보 히브리어 성경 읽기』 시리즈를 출간하였습니다.

저자 허 동 보 목사

· 現 대한예수교장로회 수현교회 담임목사

· 現 "왕초보 히브리어 성경읽기" 강사

· 現 수현북스 대표

· 저서 『왕초보 히브리어 펜습자』

　　　『왕초보 헬라어 펜습자』

　　　『4주완성 왕초보 히브리어 성경읽기』 시리즈

왕초보 원어성경 홈페이지
https://wcb.modoo.at

월간 맛싸의 발전과 함께 하실 동역자님을 모십니다.

✓ 평생이사: 월10만원 혹은 연200만원 일시불 / 후원이사: 연10만원
✓ 후원특전: 월간 맛싸와 언약성경연구소 발행 신간을 보내 드리며,
　　　세미나와 본사 발전회의에 초대됩니다.
✓ 후원계좌: 농협 302-1258-5603-71 (예금주: LEE HAKJAE)
✓ 정기구독: 1년 6회 90,000원 / 2년 12회: 150,000원
✓ 정기구독 문의 및 안내: 070-4126-3496

정기구독신청서

20   년 월 일

<table>
<tr><td rowspan="6">신
청
인</td><td>이 름</td><td colspan="2"></td><td>생년월일</td><td colspan="3"></td></tr>
<tr><td>주 소</td><td colspan="6"></td></tr>
<tr><td rowspan="3">전
화</td><td>자 택</td><td>(   ) -</td><td>출석교회</td><td colspan="3"></td></tr>
<tr><td>회 사</td><td>(   ) -</td><td>직 분</td><td colspan="3">담임목사 / 목사 / 전도사 / 장로 / 권사 / 집사</td></tr>
<tr><td>핸드폰</td><td>(   ) -</td><td>E-mail</td><td colspan="3">@</td></tr>
</table>

이름, 주소, 전화 정보

신청인

	이름	
수취인	주 소	

전화(자택)		회 사		핸드폰	

신청내용

신청기간	20 년 월 ~ 20 년 월
구독기간	☐ 1년 ☐ 2년 ☐ 3년
신청부수	부

결제방법

	카 드	· 카드종류: 국민, 비씨, 신한, 삼성, 롯데, 현대, 농협, 씨티, VISA, Master, JCB
		· 카드번호: - - - · 유효기간: /
		· 소유주: · 일시불/할부 개월
	온라인	
	자동이체	CMS

메모

정기구독 문의 및 안내 070-4126-3496